신자의 자리로

How to Be a Christian

신자의 자리로

지은이 | C. S. 루이스
옮긴이 | 윤종석
초판 발행 | 2020. 11. 18
10쇄 발행 | 2024. 5. 8
등록번호 | 제1988-000080호
등록된 곳 | 서울특별시 용산구 서빙고로65길 38
발행처 | 사단법인 두란노서원
영업부 | 02)2078-3333 FAX | 02)080-749-3705
출판부 | 2078-3330

책값은 뒤표지에 있습니다.
ISBN 978-89-531-3876-6 04230
978-89-531-3875-9 04230 (세트)

독자의 의견을 기다립니다.
tpress@duranno.com www.duranno.com

신자의 자리로

C. S. 루이스

그 나라를 향한
순전한 여정

두란노

p. 086 /

내 안에 '그리스도의 생명'이 제대로 심겼는가?

p. 097 /

"내게 사는 것이 그리스도니"라는 말의 참뜻은?

p. 101 /

영광에 이르는 절묘한 길, 어떻게 걸어갈 것인가?

p. 128 /

과학과 지식의 발전이

기독교의 불변성을 위협하는가?

엮은이의 글

그리스도인은 믿음의 내용과 교리를 논하는 데 많은 시간을 들인다. 그렇다 보니 오죽하면 일련의 개념만 알면 기독교 신앙을 터득했다고들 여긴다. 하지만 이는 잘못된 생각이다. 신앙의 참본질은 어떻게 '행동'하느냐에 달려 있다. 삶으로 실천할 때 비로소 신앙은 참이 된다.

예컨대 신자답게 살려면 다른 사람 비판하기를 더디 하고 자기 눈에 있는 들보부터 살필 줄 알아야 한다. 두려움과 불안에 찌들어 있을 게 아니라 내가 대접받고 싶은 대로 남을 대접할 길을 찾아야 한다. 내일을 염려하는 마음을 다스리고, 범죄로 이어지기 전에 분노를 꺾어야 한다. 억울한 일을 당했을 때 상대를 용서할 수 있어야 한다.

물론 교리도 매우 중요하다. 우리에게 새롭게 살아갈 능력을 주시는 분은 예수님인데, 그리스도인이 그 사실을 이해하려면 먼저 믿음의 내용과 씨름해야 한다. 그러나 이런 지식적 개념은 문門에 불과하다. 개념이 의미를 발하려면 우리가 문 안으로 걸어 들어가야 한다. 기독교 신학 대부분을 창시한 사도 바울도 우리 믿음이 아무리 좋아도 사랑이 없으면 결국 울리는 꽹과리에 불과하다고 우리를 일깨운다. 그런데 이 사랑은 오직 행동으로만 표현이 가능하다.

이런 말을 하는 이유는 내가 C. S. 루이스에게서 그것을 배웠기 때문이고, 얄궂게도 이토록 믿음의 실천을 강조한 그가 기독교 사상을 옹호하는 20세기 최고의 변증자로 인정받는 사람이기 때문이다. 루이스의 성공적 변증 활동 때문에 자칫 우리는 기독교가 본질상 관념 체계라는 허황한 생각이 주로 그에게서 기인한 줄로 착각할 수 있다. 하지만 그럴 경우 그의 사상의 알맹이를 놓치고 만다.

내가 만나는 학자와 신학자 대부분이 하나같이 고백하는 말이 있다. 자신의 전공 분야로 들어서는 과정에 루이스가 중대한 역할을 했다는 것이다. 하지만 그의 인기에도 불구하고 정작 학자들은 주로 칼 바르트, 스탠리 하우어워스, 디트리히 본회퍼, 톰 라이트, 일레인 페이걸스, 카렌 암스트롱, 바트 어만 등의 저작을 연구한다. 그들의 연구 목록에서 루이스는 좀처럼 찾아보기 힘들다.

나는 해마다 미국종교학회와 성서학회에서 공동 주최하는 학술 대회에 참석하는데, 종교학자 2만 명이 그해의 개최지에 모여 조별로 상상 가능한 모든 애매한 주제를 다룬다(그중 다수는 내 상상을 초월한다). 그런데 놀랍게도 'C. S. 루이스'라는 이름은 여간해서 일정표에 등장하지 않는다. 왜 그럴까?

아마도 루이스가 자신의 사상을 뭔가 거창한 새로운 패러다임으로 제시한 것이 아니라 대다수 신자가 으레 믿어 온 "순전한" 기독교의 약술로만 내놓았기 때문이리라. 루이스의 지혜는 "거대 담론"으로서보다는 "노정의 지혜"(내 표현이다)로서 최고의 효력을 발한다. 다시 말해서 그의 가르침은 신자의 삶이라는 행로 위에서만 뜻이 통하면서 '유익'을 끼치는 것 같다.

《순전한 기독교》 4장을 읽다가 퍼뜩 깨달음을 얻은 순간이 지금도 기억난다. 루이스의 설명에 따르면, 그리스도인이 될 때 우리는 우리를 온전하게 빚으시려는 하나님의 작업에 합류한 것이며, 이 과정에 수반되는 고통을 거부한다면 이는 하나님의 사랑이 미진하여 언제라도 우리를 포기하실 거라고 주장하는 셈이다. 이 깨달음은 젊은 날의 내 사고에 천지개벽을 일으켰다. "그리스도인이 된다는 것"이 단번에 이루어지는 사건이 아니라 기나긴 여정이며, 나와 가장 가깝기에 내 부족한 모습에 가장 큰 영향을 입을 사람들이 곧 이 정화 과정에서 하나님이 주로 쓰실 교실임을 일깨워 주었다.

전광석화 같은 깨달음은 식탐에 대한 스크루테이프의 노련한 속셈을 읽을 때도 찾아왔다. 그때까지 내가 생각하던 식탐이란 안 그래도 비만이다 싶을 만큼 살찐 사람이 무엇이든 닥치는 대로 게걸스레 먹어 치운다는 뜻이었다. 즉 나와는 상관없는 일이었다. 그런데 《스크루테이프의 편지》에 루이스가 식탐의 사례로 제시한 어떤 어머니는 "잘 구워진 빵 한 조각"에 집착하며 욕심을 부린다. 어쩌면 나도 생각만큼 "식탐이 없지" 않았던 것이다. 루이스의 통찰이 아주 깊고 풍부하고 유익해 보일 때는 바로 이런 순간이다. 기독교 신앙을 실천한다는 의미의 핵심을 짚어 내기 때문이다.

이를 가장 잘 보여 주는 또 하나의 예가 《천국과 지옥의 이혼》 12장에 나온다. 주인공의 눈앞에 천국의 장엄한 행렬이 펼쳐지는데, 빛나는 한 여인을 중심으로 역시 빛나는 천사와 성도와 동물이 무리 지어 춤을 춘다. 어찌나 아름다운 여인인지 "감히" 바라볼 수 없을 정도다. 언뜻 보기에 하와나 예수님의 어머니 마리아가 틀림없겠다 싶지만, 알고 보니 런던 교외에서 살다 온 세라 스미스라는 주부다. 그런데 천국에서는 그녀가 "큰 자"의 반열에 든다.

어떻게 그런 지위를 얻었을까? 그녀가 아이부터 청년까지 평범한 일상에서 만난 수많은 이들에게 영적 어머니가 되어 주며 사랑을 후히 베풀었기 때문이다. 이는 사람은 물론이고 개나 고양이에게도 마찬가지였다. 그녀의 사랑을 받은 대상들은 점점 더 사랑스러워졌고, 나아가 또 다른 사람들을 사랑하려는 마음으로 충만해졌다.

그 글은 "위대한" 그리스도인에 대한 나의 기준을 바꾸어 놓았을 뿐 아니라 우리가 루이스 저작 전체를 이해하는 데도 도움이 된다. 루이스는 기독교 신앙을 주제로 독자들을 돕고 격려하고 깨우치려 했는데, 특히 그 방식이 남들 눈에는 구식이거나 현대에 맞지 않아 보였다. 하지만 그의 시도는 탁월했고 본인이 생각한 것보다 훨씬 큰 성공을 거두었다. 성공의 이유로 빼놓을 수 없는 사실이 있다. 그는 위대한 변증자와 신학자가 되려 하기보다 자신의 삶과 인격이 예수 그리스도와 얼마나 닮았는지, 얼마나 세라 스미스처럼 믿음을 실천했는지를 기준으로 자신을 평가했다. 그리고 이런 겸손한 자세는 결과적으로 위대한 변증자와 신학자를 낳았다.

이 책《신자의 자리로》는 루이스의 책과 에세이와 편지와 강연 등 폭넓은 저작에서, 어떻게 믿을 것인가만 아니라 어떻게 믿음을 실천할 것인가와 관계되는 부분을 엄선하여 모은 것이다. 이 많은 글을 조사하여 선별해 준 재커리 킨케이드의 수고가 없었다면 이 책은 세상에 나올 수 없었을 것이다.

당신이 이 책에서 루이스의 원작들을 새로이 접하기를 바라고, 무엇보다 노정의 지혜를 풍성하게 얻기를 바란다. 그 지혜가 당신이 세라 스미스처럼 믿음을 실천하도록 실제적으로 도와줄 것이다.

마이클 G. 모들린

하퍼원HarperOne 출판사
수석 부사장 겸 편집장

신앙의 긴 여정,
어디까지
왔는가

하나님의 관심은 딱히 우리의 행위에 있지 않고 우리가 인간다운 인간, 즉 그분이 뜻하신 본연의 피조물이 되는 데 있다. 그러려면 그분과의 관계가 바로 서야 한다. "바른 대인 관계"는 거기에 내포되어 있으므로 굳이 덧붙이지 않겠다. 하나님과의 관계가 바르면 다른 피조물들과의 관계도 바를 수밖에 없다. 모든 바큇살이 중심축과 테두리에 제대로 끼워져 있으면 자연히 바큇살끼리도 최적의 거리를 유지하기 마련이다.

하나님을 숙제 검사관이나 거래 상대로 생각하는 사람은 아직 그분과의 관계가 바르지 못한 것이다. 그분과의 사이에 흥정이 오간다고 생각한다면 자신이 누구이고 하나님이 어떤 분이신지를 한참 오해한 것이다. 하나님과 바른 관계를 맺으려면 먼저 자신이 파산 상태라는 사실부터 알아야 한다.

단, 앵무새처럼 말로만 "아는" 것이 아니라 정말 깨달아야 한다. 어린아이라도 웬만큼 종교 교육을 받으면 말이야 금방 따라할 수 있다. 우리가 하나님께 드릴 것이라고는 전부 이미 그분의 것뿐이며, 우리는 그마저도 다 드리지 못하고 일부를 움켜쥐기 일쑤라고 말은 비슷하게 할 수 있다.

하지만 관건은 정말 그렇게 깨달았느냐다. 그 사실을 직접 경험해 절실히 느껴야 한다.

그런 의미에서 우리는 최선을 다해 보지 않고는(최선을 다하고도 실패해 보지 않고는) 자신이 하나님의 율법을 지키지 못했음을 깨달을 수 없다. 정말 애쓰지 않는 한, 말이야 어떻게 하든 늘 마음 한구석에 이런 생각이 남는다. "다음번에 더 열심히 하면 충분히 선해질 수 있을 거야." 그래서 하나님께로 돌이키는 길은 어떤 의미에서 점점 더 열심히 시도하는 도덕적 노력의 길이다.

그러나 다른 의미에서 보면, 그렇게 애쓴다고 해서 결코 목적지에 도달하는 것이 아니다. 결국 모든 시도 끝에 우리는 결정적 고비에 다다라 하나님께 이렇게 고백한다. "하나님이 해 주셔야 합니다. 저는 못해요."

그렇다고 대뜸 "나는 그 고비에 이른 적이 있던가?"라고 자문하지는 말라. 막연히 앉아서 자신의 생각이 잘 따라 주는지 살피려 든다면 삼천포로 빠진다. 우리 삶에 중요한 일이 벌어질 때일수록 당장은 무슨 일인지 모르는 경우가 많다. 매번 "아! 내가 지금 철드는 중이구나"라고 자각하는 사람은 없다. 대개는 나중에 돌아볼 때에야 실상을 깨닫고,

그 모든 일들이 소위 "철드는" 과정이었음을 인식한다. 이는 여러 단순한 일에서도 볼 수 있는 현상이다. 자신이 잠드는지 보려고 초조하게 살피는 사람은 오히려 잠이 확 달아날 소지가 높다.

아울러 내가 지금 말하는 변화가 사도 바울이나 존 번연의 경우처럼 누구에게나 다 순식간에 발생하지는 않는다. 특정한 시간이나 심지어 연도조차 지목할 수 없을 만큼 서서히 진행될 수도 있다. 중요한 것은 변화 자체의 성격이지 그 일이 벌어질 때의 감정 상태가 아니다. 즉 자신의 노력을 믿던 우리가 이제 변화되어, 스스로 해내려고 애쓰는 행위를 모두 단념하고 하나님께 맡기게 된다는 것이 핵심이다.

"하나님께 맡긴다"라는 말에 오해의 소지가 있음을 알지만 일단 그대로 쓰겠다. 그리스도인이 하나님께 맡긴다는 말은 그리스도를 전적으로 신뢰한다는 뜻이다. 태어나면서부터 십자가에 달리시기까지 온전한 인간으로서 순종하신 그리스도께서 놀랍게도 그 순종을 우리의 순종으로 여겨 주시사 우리를 의롭다 하시고, 우리가 그리스도를 더 닮게 하시며, 어떤 의미에서 우리의 약점을 보완해 주신다는 사실을 신뢰하는 것이다. 기독교 용어를 쓰자면 그분은 "아들 신분"을 우리에게 나누어 주셔서 우리도 그분처럼 "하나님의 아들"이 되게 하신다. "아들"의 의미는 다음 4장에서 좀 더 분석하고자 한다.

이런 표현이 괜찮다면, 그리스도께서는 공짜로 베푸시되 아예 모든 것을 선물로 주신다. 어떤 의미에서 그리스도인의 삶은 온통 그 놀라운 선물을 그저 받아들이는 것이다. 다만 여태 우리가 한 일과 앞으로 할 수 있는 일이 다 아무 소용없는 일임을 인식하기까지가 어렵다. 우리 생각 같아서는 하나님이 우리의 좋은 점은 인정해 주시고 나쁜 점은 못 본 체하셨으면 좋겠다. 다시 말하지만 어떤 의미에서, 유혹을 물리치려는 시도와 노력을 중단하지 않는 한(자신의 패배를 인정하지 않는 한) 아무런 유혹도 물리칠 수 없다. 다만 최선을 다해 보지 않고는 어떻게 "중단"해야 하며, 왜 그래야 하는지가 잘못될 수 있다.

그러나 다른 의미에서, 모든 일을 그리스도께 의탁한다고 해서 노력을 그만둔다는 의미는 물론 아니다. 그분을 신뢰할수록 당연히 그분의 모든 말씀을 힘써 행해야 한다. 말로는 특정인을 신뢰한다면서 그의 조언을 듣지 않는다면 앞뒤가 맞지 않는다. 마찬가지로 자신을 정말 그리스도께 의탁했다면 당연히 순종에 힘써야 한다. 다만 노력하는 방식이 달라지고 걱정이 줄어든다. 이제는 구원받기 위한 행위가 아니라 이미 구원해 주신 것에 대한 반응이다. 내가 한 행위의 보상으로 천국에 가기를 바라는 것이 아니라, 천국의 첫 빛줄기가 이미 내면에 희미하게 비쳐 들었기에 자연스레 그렇게 행동하고 싶어진다.

그리스도인이 본향에 가는 것이 선행 덕분인지 아니면 그리스도를 믿는 믿음 덕분인지를 두고 기독교계에 갑론을박이 자주 있었다. 내게 이런 난제를 논할 자격은 없지만 이는 마치 가위의 어느 쪽 날이 더 요긴하냐는 질문처럼 보인다. 자신의 패배를 인정하는 시점에까지 이르려면 도덕적으로 진지하게 노력하는 길밖에 없고, 그 시점에 절망에서 구원받으려면 그리스도를 믿는 길밖에 없다. 그분을 믿으면 선행은 반드시 따라 나온다.

그런데 진리가 그만 양극단으로 왜곡되었다. 게다가 과거에 두 부류의 그리스도인이 그중 한쪽을 믿으면서 서로 상대측을 비난하곤 했다. 그 내용을 살펴보면 진리가 더 명확해질 것이다.

한 부류가 비난받은 이유는 그들이 이렇게 말했기 때문이다. "선행만이 중요하다. 최고의 선행은 사랑이고, 최고의 사랑은 헌금이며, 최고의 헌금 대상은 교회다. 그러니 1만 파운드만 내면 당신의 구원은 우리가 책임진다."

물론 이런 허튼소리에 답해 줄 말은, 그런 동기에서 나온 선행은 아예 선행이 아니라는 것이다. 천국을 돈으로 살 수 있다고 생각해서 선을 행한다면 이는 상업적 투기에 불과하다.

다른 부류는 이런 주장 때문에 비난받았다. "믿음만이 중요하다. 따라서 믿음만 있으면 어떻게 살든 상관없다. 젊은이여, 마음껏 죄를 지으며 즐기라. 결국 그리스도께서 다 없었던 일로 해 주신다."

이런 망발을 되받을 말은 이렇다. 그리스도를 "믿는다는" 사람이 그분의 말씀에 약간의 눈길조차 주지 않는다면 이는 전혀 믿음이 아니다. 그분을 믿거나 신뢰하는 것이 아니라 그분에 관한 어떤 이론을 그저 머리로만 수긍하는 것일 뿐이다.

실제로 성경은 신기하게 양쪽을 한 말씀으로 묶어 이 문제를 매듭짓는 것 같다.

"두렵고 떨림으로 너희 구원을 이루라 너희 안에서 행하시는 이는 하나님이시니"(빌 2:12-13).

구절의 앞부분만 보면 모든 것이 우리와 우리의 선행에 달려 있는 것 같지만, 뒷부분으로 가면 하나님이 다 하시고 우리는 아무것도 하지 않는 듯 보인다. 이는 기독교에서 종종 부딪치는 역설인데, 난감하지만 놀랄 일은 아니다.

오늘날 우리는 하나님과 인간이 협력할 경우, 양쪽의 역할이 정확히 어디까지인지를 알아내서 완벽하게 구분하려 한다. 일단 두 인간의 협력처럼 생각하고 들어간다. 그러면 "그분이 이만큼 하시고 나머지는 내가 했다"라는 말이 가능해진다.

그런데 이런 논리는 성립되지 않는다. 하나님은 그런 분이 아니시다. 그분은 우리 밖에만이 아니라 안에도 계신다. 설령 어느 쪽이 어디까지 했는지를 알 수 있다고 해도, 내 생각에 인간의 언어로는 이를 제대로 표현할 수 없다.

알고 보면 선행의 중요성을 가장 힘주어 주장하는 쪽에서도 믿음이 필요하다고 말하고, 반대로 믿음을 최고로 중시하는 쪽에서도 선을 행하라고 외친다. 어쨌든 내가 할 수 있는 말은 거기까지다.

처음에는 도덕과 의무와 규율과 죄와 덕이 기독교의 관건인 것 같지만, 기독교는 우리를 이 모두에서 이끌어 내그 너머의 세계로 데려간다. 여기까지는 그리스도인이라면 누구나 동의할 것이다. 어렴풋이 내다보이는 그 나라에서는 혹시 농담으로라면 몰라도 이런 것들이 전혀 화젯거리가 못 된다. 거울이 빛으로 가득하듯이 거기서는 모두가 선善으로 충만하다. 그런데 그들은 이를 선은커녕 그 무엇이라고도 부르지 않고 부를 생각조차 하지 않는다. 그저 그것의 근원이신 그분을 바라보느라 여념이 없다.

그나마 이는 현세를 떠나 내세로 들어서는 길목의 근처일 뿐이다. 그 너머까지 아주 멀리 내다볼 수 있는 사람은 아무도 없다. 물론 나보다 멀리 볼 수 있는 사람은 많다.

《순전한 기독교 *Mere Christianity*》, 3장 중 "믿음(2)"

신자는 모름지기 '영적' 활동에 24시간을 바쳐야 하는가?

우리가 늘 답해야 하는 질문이 있다.

"영혼 구원 말고 다른 것을 생각하다니 어쩌면 그렇게 천박하고 이기적일 수 있는가?"

그리고 현시점에 답해야 하는 질문이 하나 더 있다(이 글은 제2차 세계대전이 발발했을 무렵, 1939년 10월 22일에 옥스퍼드대학 안에 있는 세인트메리교회에서 젊은 학생들에게 전한 루이스의 설교다-편집자).

"전쟁 말고 다른 것을 생각하다니 어쩌면 그렇게 천박하고 이기적일 수 있는가?"

두 질문의 답이 일부는 똑같다. 전자에는 우리 삶이 순전히 종교적일 수 있고 명백히 그래야만 한다는 전제가 깔려 있고, 후자에는 오로지 애국만이 삶의 전부일 수 있고 그래야만 한다는 암시가 묻어난다.

나는 우리 삶 전체가 종교적일 수 있고 과연 그래야 한다고 믿는다. 어떤 의미에서 그런지는 나중에 설명할 것이다. 그러나 모든 활동이 "성"聖에 속하여 "속"俗과 대척되어야 한다는 의미라면, 나는 두 가상의 논적에게 똑같이 이렇게 답해 주겠다. "당신이 아무리 그렇게 되어야만 한다고 우겨도 절대로 그럴 일은 없다."

나도 그리스도인이 되기 전에는 미처 몰랐지만, 회심한 후의 생활도 다분히 이전과 똑같은 일로 이루어질 수밖에 없다. 마음 자세는 새로워지겠지만 하는 일은 똑같다. 지난번 참전하기 전까지만 해도 내가 당연히 예상했던 전선에서의 생활은 막연하게나마 전쟁 일색이었다. 그런데 알고 보니 최전선에 가까워질수록 아무도 연합군의 기치와 전황 따위를 말하거나 생각하지 않았다. 다행히 톨스토이도 역사상 가장 위대한 전쟁 저작에 똑같이 기록했고, 방식만 다를 뿐 《일리아드》도 마찬가지다. 회심하거나 입대한다 해서 인간의 삶이 완전히 사라지는 것이 아니다. 그리스도인과 군인도 여전히 인간이다. 그런데 비신자가 생각하는 신앙생활이나 민간인이 생각하는 군복무는 현실과 동떨어져 있다.

어느 경우든 지적 활동과 미적 활동을 모두 중단하려 한다면, 기존의 더 나은 문화생활이 더 나쁜 것으로 대체될 뿐이다. 교회에서든 전선에서든 실제로 아무것도 읽지 않을 수는 없다. 좋은 읽을거리를 읽지 않으면 나쁜 읽을거리를 읽게 되고, 합리적으로 사고하지 않으면 비합리적으로 사고하게 되며, 심미적 만족을 거부하면 관능적 만족에 빠져들게 된다.

요컨대 종교와 전쟁은 이런 점에서 유사하다. 둘 중 어느 쪽도 대다수의 경우 우리의 기존 인생살이를 중단시키거나 아예 없애지 못한다는 것이다. 하지만 그 이유는 서로 다르다. 전쟁이 우리의 관심을 독점하지 못하는 까닭은 전쟁은 언젠가는 끝나기 때문이다. 그래서 전쟁은 그 본질상 인간의 영혼을 송두리째 사로잡기에는 모자라다.

오해를 방지하기 위해 여기서 몇 가지 구분해 둘 것이 있다. 나는 이번 전쟁의 아군 측 명분이 인간적 기준에서 아주 의롭다고 믿으며, 따라서 의무적으로 참전해야 한다고 여긴다. 모든 의무는 신성하기에 모든 의무를 수행할 우리의 책임도 절대적이다. 우리는 물에 빠진 사람을 구조할 의무가 있으며, 거주지가 위험한 해안가라면 행여 누가 물에 빠질 경우에 대비해 어쩌면 인명 구조법을 배워야 할 의무도 있다. 내 목숨을 버려서라도 상대를 살리는 것이 우리의 의무일 수 있다. 그러나 인명 구조에 헌신하여 완전히 거기에만 매달린다면(다른 것은 일절 말하거나 생각하지 않고, 세상 모든 사람이 수영을 배울 때까지 사람으로서 해야 하는 모든 활동을 중단해야 한다고 우긴다면) 이는 편집증이다.

요약하자면 물에 빠진 사람을 구하는 일은 목숨을 버릴 만한 의무는 되지만 삶의 목적으로 삼을 정도는 아니다. 내가 보기에 (군사적 의무를 포함한) 모든 정치적 의무도 이 부류에 속한다. 사람이 조국을 위해 죽을 수는 있으나 배타적 의미로 조국을 위해 살아서는 안 된다. 나라나 정당이나 계층의 한시적 권익을 위해 무조건 헌신하는 사람은 가장 명백한 하나님의 소유인 자기 자신을 가이사(시저)에게 바치는 것과 같다.

정상적인 모든 일상의 활동을 다 배제하면서까지 삶 전체를 점유할 수 없기는 종교도 마찬가지지만, 그 이유는 사뭇 다르다. 물론 어떤 의미에서 종교는 삶 전체를 점유해야 한다. '하나님의 주권'과 '문화, 정치, 기타 무엇의 권리 주장' 사이에 타협이란 있을 수 없다. 하나님의 주권은 무한하고 만고불변하여 우리는 거기에 저항하거나 순응할 수 있을 뿐 중도란 없다.

그럼에도 불구하고 분명히 기독교는 인간의 일상생활 가운데 그 어느 것 하나도 배제하지 않는다. 사도 바울은 사람들에게 현직에 충실하라고 말했고, 이교도가 베푸는 잔치까지 포함해 그리스도인도 만찬회에 가도 된다고 전제하기까지 했다. 우리 주님도 결혼식에 참석해 기적을 일으켜 포도주를 제공하셨다. 기독교가 부흥했던 대부분의 시대에 그분 교회의 후원을 받아 학문과 예술이 융성했다. 이 역설을 푸는 답을 당신도 물론 잘 알고 있다.

"너희가 먹든지 마시든지 무엇을 하든지 다 하나님의 영광을 위하여 하라"(고전 10:31).

아무리 초라한 자연적 활동도 하나님께 드리면 그분이 다 받아 주시지만, 아무리 고상한 일도 그분께 드리지 않으면 다 악해진다. 기독교는 그저 자연적 삶을 새로운 삶으로 대체하는 것이 아니라 자연적 소재를 초자연적 목적을 위해 활용하는 새로운 질서다.

물론 상황에 따라 한낱 인간적 추구를 일부 혹은 전부 내려놓아야 할 때도 있다. 두 눈을 가지고 지옥에 던져지느니 차라리 한 눈만 있을지언정 구원받는 것이 낫다. 그러나 어떤 의미에서 그런 내려놓음은 **부수적인 일**이다. 즉 특정한 정황에서 해당 활동을 하나님의 영광을 위해 하기가 더는 불가능해졌기 때문이다.

본래 영적 삶과 인간이 하는 모든 활동은 서로 상충되지 않는다. 그래서 우주에 하나님이 편재하시듯이 그리스

아무리 초라한 자연적 활동도 하나님께 드리면
그분이 다 받아 주시지만,
아무리 고상한 일도
그분께 드리지 않으면 다 악해진다.
기독교는 그저 자연적 삶을
새로운 삶으로 대체하는 것이 아니라
자연적 소재를 초자연적 목적을 위해 활용하는
새로운 질서다.

도인의 삶에도 그분을 향한 순종이 편만해질 수 있다. 하나님이 우주에 충만하신 방식은 우리 몸이 공간을 점유하는 방식과는 다르다. 즉 그분이 계시려고 물리적으로 다른 물체를 밀어내고 우주의 다른 부분을 차지하고 계신 것이 아니다. 신뢰할 만한 신학자들이 말한 것처럼, 그분은 어디에나 계신다. 우주의 모든 지점에 전체로 존재하신다.

"우리처럼 막중한 책임을 부여받은 피조물 입장에서 볼 때 인간의 문화는 변명의 여지없이 천박하다"는 견해를 이제 우리는 물리칠 수 있다. 동시에 나는 일부 현대인의 머릿속에 잔존하는 개념, 즉 문화 활동이 그 자체로 영적이고 칭송받을 만하다는 개념도 배격한다. 마치 학자와 시인이 청소부와 구두닦이보다 본질적으로 하나님께 더 기쁨이 된다는 듯한 생각과 태도 말이다.

영어 단어 "스피리추얼"spiritual을 독일어 단어 "가이스트리히"geistlich처럼 좁은 의미의 "영적"이라는 의미로 처음 쓴 사람은 매튜 아놀드인데, 이로써 그는 지극히 위험하고 반기독교적인 오류를 끌어들였다. 이 오류를 우리의 머릿속에서 영영 지워 버리자.

베토벤 같은 작곡가의 일도 파출부의 일도 정확히 똑같

은 조건에서만 영적이다. 즉 "주께 하듯" 겸손히 하고 하나님께 드려야 한다. 물론 그렇다고 청소 일을 할지 교향곡을 작곡할지 정하는 문제를 순전히 우연에 맡겨야 한다는 말은 아니다. 하나님의 영광을 위해 두더지는 땅을 파고 수탉은 울어야 한다. 우리는 한 몸의 지체지만 분화된 지체라서 각기 소명이 다르다.

가정교육과 재능과 환경은 한 사람의 소명을 가늠할 때 일반적으로 살펴보는 지표다. 부모가 우리를 옥스퍼드대학에 보냈고 국가가 그곳에 몸담게 해 준다면, 이는 우리가 하나님께 영광을 돌릴 수 있는 최선의 삶이 일단 현재로서는 학문의 길이라는 **분명한** 증거다.

물론 여기서 하나님의 영광을 위한 학문이란 '자신의 지적 탐구로 결론을 확정짓고 그대로 교화하려는 시도'가 아니다. 이는 프랜시스 베이컨의 말마따나 진리의 창시자께 거짓이라는 부정한 제물을 바치는 꼴이다. 내 말은, 지식과 미美를 어떤 의미에서는 그 자체로 추구하되, 둘 다 하나님을 위한 것임을 잊지 말라는 뜻이다.

인간의 마음속에는 지적 욕구와 심미적 욕구가 존재하며, 하나님은 어떠한 욕구도 헛되이 주시는 법이 없다. 그래서 지식과 미를 추구할 때 우리는 이를 통해 본인이 하나님을 더 잘 보거나 아니면 간접적으로 다른 사람을 도와 그분을 보게 한다는 확신을 품을 수 있다.

다만 오롯이 지식이나 미를 추구하는 데 집중하고, 하나님을 보기까지 그것들이 궁극적으로 어떤 연관성이 있는지에는 너무 신경 쓰지 말아야 한다. 그것이 욕구에 충실한 만큼이나 겸손한 태도다. 그 연관성을 파악하는 일은 우리 몫이 아니라 우리보다 나은 이들의 몫일지도 모른다. 당장은 보이지 않아도 우리가 겸손히 소명에 순종하여 얼마라도 파헤쳐 놓으면, 그 영적 의의는 후학들이 밝혀낼 것이다.

이를 목적론적 논증이라 한다. 즉 욕구와 능력이 존재한다는 것은 하나님의 계획 안에서 반드시 적합한 용도가 있다는 증거다. 이 논증으로 토마스 아퀴나스는 인류의 타락이 없었더라도 성생활이 존재했으리라는 것을 증명했다. 문화와 관련해서도 이 논증이 신뢰할 만하다는 사실은 경험으로 입증된다.

지식인의 삶은 하나님께 가는 유일하거나 가장 안전한 길은 아니지만 이 또한 엄연히 하나님께 가는 하나의 길이다. 하나님이 우리를 그 길로 인도하실 수 있다. 물론 그 길을 가려면 욕구가 늘 사심 없이 순수해야 하는데, 그 상태를 유지하기가 여간 어려운 일이 아니다. *Theologia Germanica*(독일 신학) 저자가 말했듯이(저자 미상의 14세기 작품인데 1518년에 루터가 제목을 붙여 출간했다-옮긴이) 우리는 앎의 대상보다 지식 자체와 내 학식에 더 심취할 수 있다. 재능을 쓰는 것보다 그 재능을 소유했다는 사실이나 심지어 거기서 얻는 명예를 더 즐거워할 수 있다. 이 위험은 학자로서 성공을 거둘 때마다 더욱더 커진다. 도저히 이를 물리칠 수 없거든 학문의 길을 떠나야 한다. 오른쪽 눈을 뽑아야 할 때가 온 것이다.

《영광의 무게 *The Weight of Glory*》, "전시戰時의 학문"

품기 힘든 '문제적 그 인간'이 있는가?

이 글을 읽는 독자 가운데 열에 일곱은 타인과 관련하여 이런저런 고충을 겪고 있을 것이다. 직장이나 가정에서 고용주(혹은 직장 상사)나 종업원(혹은 부하 직원), 세입자나 집주인, 시집이나 처가 식구, 부모나 자녀, 아내나 남편 등이 당신의 삶을 필요 이상으로 힘들게 한다. 대개 외부인에게는 이런 고충(특히 집안에서 일어나는 일)을 입에 담지 않지만, 그래도 간혹 털어놓을 때가 있다. 친구가 우리에게 왜 이렇게 침울해 보이느냐고 물으면 바로 그때 진상이 드러난다.

이야기를 다 듣고 나면 친구는 대개 이렇게 답한다. "상대방한테 말해 보지 그래? 아내(남편, 아버지, 딸, 상사, 집주인, 세입자 등)에게 가서 다 털어놓는 거야. 인간은 이성적 존재니까 문제를 제대로 보여 주기만 하면 되잖아. 조리 있고 차분하고 친절하게 설명해 봐."

그러면 우리는 겉으로야 수긍할 수도 있지만 하나같이 속으로는 "네가 '그 인간'을 몰라서 그래"라며 답답해한다.

우리는 '그 인간'을 안다. 그에게 도리를 알게 한다는 것이 전혀 가망 없는 일임을 안다. 그동안 우리는 이미 질리도록 수없이 시도했거나, 아니면 애초부터 다 부질없는 짓임을 알았기에 시도조차 하지 않았다. 그에게 다 털어놓으려 하면 한바탕 난리가 나거나, 아니면 그가 어안이 벙벙하여 쳐다보며 "도대체 무슨 소리인지 모르겠다"는 식으로 말할 것을 우리는 안다. 그것도 아니라면 (아마 최악의 경우) 그는 마음을 고쳐먹고 다 새로 시작하겠다고 선뜻 수긍해 놓고는 다음 날이면 다시 이전과 똑같아진다.

아무리 문제를 대화로 풀어 보려 해도 '그 인간'의 굳어진 치명적 성격 결함 때문에 결국 수포로 돌아갈 것을 당신은 안다. 돌아보면 여태 당신의 모든 계획도 그 치명적 결점(구제불능의 질투, 게으름, 과민함, 흐리멍덩한 생각, 군림하려는 자세, 고약한 심보, 변덕 등) 때문에 매번 무산되었다.

건강 상태가 나아지거나 연봉이 오르거나 또는 전쟁이 끝나는 등의 무슨 대외적 행운이라도 닥치면 고충이 해결되리라는 환상을 어느 나이까지는 혹시 품었을지 모르지만, 이제 당신도 알 만큼 안다. 전쟁은 끝났다. 그래서 당신은 설령 다른 호재가 발생해도 '그 인간'이 여전할 것과 당신 앞에 놓인 문제가 늘 똑같을 것을 안다. 당신이 억만장자가 된다 해도 남편은 여전히 못살게 굴고, 아내는 여전히 잔소리를 늘어놓고, 아들은 여전히 술타령이고, 시어머니나 장모는 여전히 당신과 함께 살 것이다.

그 사실을 깨닫고 직시하는 것만 해도 장족의 발전이다. 외부 사정이 다 좋아도 진정한 행복은 당신이 함께 살아야 하는 사람들의 성격에 여전히 달려 있으며, 당신은 그들의 성격을 고칠 수 없다. 요지는 지금부터다. 이 실상을 목도한 당신은 처음으로 하나님의 심정을 살짝 엿본 것이다. 하나님 앞에 놓인 문제도 (어떤 면에서) 똑같기 때문이다.

그분은 인간에게 풍요롭고 아름다운 세상을 주어 그 안에 살게 하셨다. 지능과 양심을 주어 각각 세상을 어떻게 다룰 수 있고 어떻게 다루어야 하는지도 알려 주셨다. 또 먹고 마시고 쉬고 자고 운동하는 것 같은 물리적 생존에 필요한 활동들이 아주 즐겁게 느껴지도록 설계해 두셨다. 이렇게 다 해 주셨는데도 인간은 삐딱해져서 그분의 모든 계획을 망쳐 놓았다. 우리의 소소한 계획이 번번이 망가진 것과 같다. 행복을 누리라고 그분이 주신 모든 것을 인간은 다툼과 시기와 과욕, 재물 축재, 바보짓의 소재로 전락시켰다.

하나님이야 원하시면 인간의 성격을 고치실 수 있지만 우리는 그럴 수 없으니 그분의 경우는 많이 다르다고 말할지 모르겠다. 하지만 그 차이는 언뜻 생각하는 것만큼 그리 크지 않다. 하나님은 인간의 성격을 강제적인 힘으로 고치시지 않기로 스스로 원칙을 정하셨다. 물론 고치실 수 있고 또 고치시겠지만 인간이 허락해야만 한다. 이처럼 그분은 자신의 권한을 확실히 제한하셨다.

때로 우리는 그분이 왜 그러셨는지 의아해하거나 아예 그러시지 않았기를 바라기도 한다. 하지만 그분은 그럴 만한 가치가 있다고 보신 것 같다. 별수 없이 기계처럼 바르게 행동하는 사람들의 세상보다는 온갖 위험이 따르더라도 자유로운 존재들의 세상을 그분은 원하셨다. 완벽한 로봇들의 세상이 어떠할지를 실감나게 상상해 볼수록 그만큼 더 그분의 지혜가 깨달아질 것이다.

앞서 나는 우리가 상대해야 할 사람들의 성격 때문에 우리의 계획이 모두 수포로 돌아가는 것을 볼 때 "**어떤 면에서**" 하나님의 심정을 엿볼 수 있다고 했다. 말 그대로 어떤 면에서만 그렇다. 하나님의 시점視點은 두 가지 면에서 우리와는 판이할 수밖에 없다.

첫째로, 당신 가정이나 직장의 구성원들이 정도 차이만 있을 뿐 죄다 까다롭거나 다루기 힘들다는 거야 하나님도 (당신처럼) 보고 계시지만, 그분이 그 가정이나 공장이나 사무실에서 보시는 똑같은 부류의 사람이 하나 더 있다. 당신은 절대 보지 못하는 사람인데, 다름 아닌 당신 자신이다. 이 사실을 자각하면 지혜가 한 걸음 더 비약한다. 당신이나 그들이나 도긴개긴이고 당신의 성격에도 분명 치명적 결점이 있다. 당신의 희망과 계획이 남들의 성격 때문에 무산되었듯이 그들의 모든 희망과 계획도 당신의 성격 때문에 번번이 수포로 돌아갔다.

"물론 나한테 결점이 있다는 건 나도 안다." 이런 식으로 두루뭉술하게 인정하고 얼렁뚱땅 넘어가서는 안 된다. 자신에게 정말 치명적 결점이 있음을 진정으로 깨닫는 것이 중요하다. 그 결점이 다른 사람들에게 **절망감**을 안긴다. 당신이 그들의 결점 때문에 절망하는 것과 똑같이 말이다. 그런데 십중팔구 당신만은 이 결점을 모른다. 광고에 나오듯이 모든 사람이 알지만 정작 본인만 모른다는 '입 냄새'와도 같다.

그러면 당신은 왜 다른 사람들이 사실을 제대로 말해 주지 않느냐고 반문할지 모른다. 정말이지 그들은 수도 없이 말해 주려 했으나 당신이 통 "받을" 줄을 몰랐다. 당신이 "잔소리"나 "화풀이"나 "궤변"이라고 몰아세우는 그들의 말 가운데 상당 부분이 어쩌면 당신의 실상을 알려 주려는 시도였다.

게다가 당신은 자신의 결점을 알더라도 다는 모른다. 당신은 "어젯밤 내가 화낸 것을 인정한다"라고 말하지만, 다른 사람들은 이런 상황이 늘 있는 일이며 당신이 성미가 고약한 사람임을 안다. 당신은 "지난 토요일 과음한 것을 인정한다"라고 말하지만, 당신이 거의 매일 그렇게 취해 사는 술꾼임을 누구나 다 안다.

이렇듯 하나님의 시점은 나와 다를 수밖에 없다. 그분은 모든 등장인물을 다 보시지만 나는 나만 빼놓고 본다.

이번에는 두 번째 차이점이다. 그분은 "그 인간들"의 결점에도 불구하고 그들을 사랑하신다. 포기하지 않고 계속 사랑하신다.

"함께 사시지 않아도 되는데 그게 뭐 그리 어려운가"라고 말하지 말라. 그분도 그들과 함께 사신다. 그분은 그들 밖에만 아니라 안에도 계신다. 우리보다 그분이 훨씬 깊고 가깝게 그리고 쉴 새 없이 그들과 **함께** 계신다. 그들(과 우리)의 머릿속에 든 모든 악한 생각이며 매 순간의 앙심과 시기, 교만과 탐욕과 허영심 따위가 그분의 진득하고 간절한 사랑을 정면으로 들이받아, 우리 마음보다 그분의 마음을 더 슬프게 한다.

이상 두 가지 면에서 하나님을 닮아 갈수록 우리는 더 성장한다. 즉 (문제적) "그 인간"을 더 사랑해야 하고, 자신도 그와 다를 바 없는 부류의 사람임을 볼 줄 알아야 한다. 자신의 결점을 늘 생각하는 것은 병적인 것이라고 말하는 이들도 있다. 그 말이 맞으려면, 우리 대부분이 자신의 결점만 그만 생각할 것이 아니라 금세 남들의 결점에 대한 생각으로 갈아타지도 말아야 한다. 그런데 불행히도 우리는 누군가의 결점을 곱씹기를 **즐긴다**. "병적"이라는 단어의 본뜻 그대로 이것이야말로 세상에서 가장 병적인 쾌락이다.

통제받기를 싫어하는 우리지만 스스로 통제해야 할 것이 하나 있다. 교사나 부모의 본분을 다하기 위해 꼭 필요한 경우가 아니고는 타인의 결점을 생각하는 일은 삼가라. 쓸데없이 머릿속에 그런 생각이 들거든 그냥 밀쳐 내라. 대신 자신의 결점을 생각하면 어떨까? 그거라면 하나님의 도움으로 어떻게든 **해 볼 수 있기** 때문이다. 가정이나 직장의 모든 까다로운 구성원 가운데 당신이 대폭 발전시킬 수 있는 사람은 하나뿐이다. 이 현실성 있는 목표에서부터 출발해야 한다. 미루지 말고 지금 시작하는 것이 좋다. 언젠가는 해결해야 할 일인데 차일피일 미룰수록 그만큼 더 시작이 힘들어진다.

그렇다면 대안은 무엇인가?

분명히 보다시피 "그 인간"에게 시기와 이기심과 앙심이 남아 있는 한 아무것으로도 그를 진정으로 행복하게 할 수 없으며, 전능하신 하나님도 어찌하실 수 없다. 당신 안에도 그런 부분이 있음을 명심하라. 이를 고치지 않는 한 하나님의 능력이 막혀서 당신은 영원히 비참해질 수밖에 없다. 그 문제가 남아 있는 동안에는 당신에게 천국이 있을 수 없다. 코감기에 걸린 사람이 향기를 맡을 수 없고, 청각을 잃은 사람이 음악을 들을 수 없음과 마찬가지다.

이는 하나님이 우리를 지옥에 "보내시는" 문제가 아니다. 우리 각자 안에 뭔가 자라고 있어서 미리 싹을 잘라 내지 않으면 그 자체가 **지옥이 된다**. 그만큼 심각한 문제다. 그러니 당장 그분의 손길에 우리를 맡겨 드리자. 오늘 이 시간에 말이다.

《피고석의 하나님 *God in the Dock*》, "'그 사람'의 문제"

재림의 복음,
나의 오늘을
어떻게 바꾸는가?

재림의 교리가 가르쳐 주듯이 우리는 세상의 드라마가 언제 끝날지 모르며 알 수도 없다. 언제라도 막이 내릴 수 있으며, 당신이 이번 문단을 다 읽기 전일 수도 있다. 그 사실에 어떤 이들은 낭패감을 견디지 못한다. 다음 달에 결혼할 사람도 있고, 다음 주에 주급이 오를 사람도 있고, 위대한 과학적 발견을 코앞에 둔 사람도 있고, 사회와 정치의 일대 개혁을 완성 중인 사람도 있다. 선하고 지혜로우신 하나님이라면 이 모두를 중간에 싹둑 잘라 버리실 만큼 무지막지하실 리가 없지 않은가? 다른 때라면 몰라도 **지금은** 아니다!

그러나 우리가 그렇게 생각하는 이유는 자꾸 이 연극을 안다고 착각하기 때문이다. 우리는 이 연극을 모른다. 자신이 등장하는 지금이 제1막인지 제5막인지 모른다. 주연이 누구이고 단역이 누구인지도 모른다. 오직 극작가이신 하나님만이 아신다. 청중이 있다면(천사들과 천사장들과 하늘에 있는 모든 이들이 무대 주위와 객석에 가득하다면) 그들은 어렴풋이 알지도 모른다. 하지만 우리는 언제 끝이 나야 할지를 모른다. 이 연극을 무대 밖에서 본 적도 없고, 같은 장면에 "등장하는" 극소수를 제외하고는 만나 본 배우도 없고, 다가올 시간에 관해 아는 것이 전혀 없고, 지나간 시간도 지극히 단편적으로만 알기 때문이다.

끝나야 할 때 어련히 끝나겠지만 그 시기가 언제인지를 추측하는 일은 시간 낭비다. 결말에 분명히 의미가 있겠지만 우리에게는 그게 보이지 않는다. 다 끝나면 그때 그분이 말씀해 주실 것이다. 저마다 맡았던 배역을 놓고 극작가께서 우리 각자에게 하실 말씀이 있을 것이다. 그 배역을 잘 연기하는 것이 한없이 중요하다.

따라서 우리 입맛에 맞는 현대 신화에 어긋난다 해서 재림의 교리를 저버려서는 안 된다. 오히려 그렇기 때문에 이를 더 귀히 여기고 더 자주 묵상의 주제로 삼아야 한다. 재림이야말로 우리의 병증에 특히 효과가 있는 약이다.

거기까지 말했으니 이제 실제적 측면으로 넘어가 보자. 이 교리를 그리스도인의 삶에서 마땅히 차지해야 할 자리에 놓기란 정말 힘들다. 특유의 위험이 따라붙기 때문이다. 교회에서 가르치는 자리에 있는 많은 이들이 이 교리를 받아들이면서도 그다지 많이 언급하지 않는 이유가 아마 이 위험을 우려해서일 것이다.

우선 인정해야 할 점이 있는데, 과거에 이 교리는 신자들을 정말 어이없는 바보짓에 빠뜨리곤 했다. 이 큰 사건을 믿는 사람 가운데 다수는 날짜를 추측해 보지 않기가 참으로 어려운 모양이다. 심지어 어떤 돌팔이나 광신자가 내놓는 날짜를 정답으로 받아들이기도 한다. 이 모든 빗나간 예언의 역사를 쓰자면 족히 책 한 권은 될 텐데, 내용이 서글프고 너절하여 웃어야 할지 울어야 할지 모를 판이다.

사도 바울이 데살로니가후서를 쓸 때도 그런 예언이 떠돌았다. 누군가 교인들에게 "주의 날이 이르렀다"라고 말했던 것이다. 이런 예언에 으레 뒤따르는 결과였던지 그들은 게으름을 피웠고 오지랖이 넓었다. 가장 유명한 예언 가운데 1843년에 나온 윌리엄 밀러의 예언이 있다. (내 생각에 순진한 광신자였던) 밀러는 재림을 연도와 날짜와 분 단위까지 계산했다. 때마침 어떤 혜성이 그 망상을 부추겼다. 3월 21일 자정에 수천 명이 주님을 기다리다가 22일에 어떤 주정뱅이가 퍼부은 야유를 듣고 나서야 집으로 돌아가 늦은 아침을 먹었다.

이런 집단 광기를 다시 불러일으킬 말을 뉘라서 선뜻 하고 싶겠는가. 쉽게 흥분하는 순진한 사람들에게 "주의 날"을 말할 때는 시기를 예측하기가 완전히 불가능하다는 사실을 반드시 거듭 강조해야 한다. 그 불가능성이 이 교리에 반드시 있어야 할 중요한 요소임을 힘써 알려야 한다. 주님의 말씀을 믿지 않을 거라면 그분의 재림은 왜 믿는가? 그분의 말씀을 믿는다면 재림의 때를 알고 싶은 마음을 영영 완전히 버려야 하지 않겠는가?

이 주제에 대한 그분의 가르침은 세 가지 명제로 이루어져 있다. 첫째, 그분은 반드시 다시 오신다. 둘째, 그 시기가 언제인지 우리는 알 수 없다. 셋째, 그러므로 늘 준비하고 그분을 기다려야 한다.

"**그러므로**"에 주목하라. 그 순간을 예측할 수 없기에, 바로 그래서 우리는 매 순간 준비되어 있어야 한다. 우리 주님은 이 실제적 결론을 몇 번이고 되풀이하셨다. 마치 그 결론 하나를 위해 재림을 약속하기라도 하신 듯이 말이다. 그분의 권고는 "깨어 있으라"에 방점이 찍혀 있다. "내가 도둑같이 오리니 너희는 깨어 있으라. 엄중히 단언하거니와 너희는 내 기척을 도무지 알아차릴 수 없다. 강도가 언제 들지를 집주인이 알았더라면 미리 대비했을 것이고, 집을 비웠던 주인이 언제 귀가할지를 하인이 알았더라면 주방에서 술 취한 채 발각되지 않았을 것이다. 그들도 몰랐고 너희도 모른다. 그러니 너희는 항시 준비되어 있어야 한다."

요지는 아주 단순하다. 학생은 베르길리우스를 강독하는 교재에서 자신이 어느 부분을 번역하게 될지를 모른다. 그래서 모든 대목을 번역할 수 있어야 한다. 초병은 적이 자신의 초소를 공격하거나 장교가 시찰을 나올 시각이 언제인지를 모른다. 그래서 **항상** 깨어 있어야 한다. 재림은 전혀 예측할 수 없는 사건이다. 난리와 난리에 관한 소문과 각종 재난이 있겠지만 그거야 지금도 늘 그렇다. 그런 의미에서 세상은 하늘이 두루마리처럼 말리기 직전까지도 여느 때와 같을 것이다.

그날을 우리는 예측할 수 없다. 예측이 가능하다면 재림을 예언하신 유일한 주목적이 꺾일 텐데, 하나님의 목적은 그렇게 쉽사리 꺾이지 않는다. 미래의 모든 윌리엄 밀러에게 우리는 미리부터 귀를 닫아야 한다. 그런 말을 듣기만 하는 미련함도 믿는 미련함에 거의 맞먹기 때문이다. 어차피 **알 수 없는** 일을 그들은 아는 체하거나 안다고 착각하는 것뿐이다.

조지 맥도널드가 이런 미련함을 글로 잘 표현했다. "'주님께서 오신다는 징조가 여기 있다' 혹은 '저기 있다' 하는 이들은 과연 그분을 너무도 사모해서 그분의 기척을 망보는 것일까? 주님께서 우리에게 깨어 있으라 하심은 본분을 소홀히 하다 발각되는 일이 없게 하라는 뜻이다. 그런데 그들은 그분을 도둑같이 오시지 못하게 하려고 두리번거리며 감시한다. 생명의 열쇠는 순종뿐이다."

"지금이 세상의 마지막 밤이라면 어떨까?"라는 존 던의 물음은 우리 일생의 어느 해 어느 순간에나 똑같이 적절하다. 이 사실을 깨닫지 못한다면 적어도 우리에게는 재림의 교리가 제구실을 다하지 못한 것이다.

때로 그 물음을 우리에게 두려움을 불러일으킬 목적으로 들이미는 이들이 있다. 내 생각에 이는 바른 질문법이 아니다. 물론 나는 모든 종교적 두려움이 미개하고 저열하므로 영적 삶에서 추방되어야 한다는 주장에는 결코 동의하지 않는다. 알다시피 온전한 사랑은 두려움을 내쫓는다(요일 4:18). 하지만 무지와 술과 격정과 만용과 미련함도 두려움을 내쫓기는 마찬가지다. 우리 모두가 온전한 사랑의 경지에 이르러 두려움을 모르게 되는 거야 매우 바람직한 일이다. 하지만 그 단계에 이르기 전에 다른 열등한 요인 때문에 두려움을 잃는 것은 전혀 바람직하지 못하다.

내가 재림을 가지고 끊임없는 공포를 조장하려는 시도에 반대하는 이유는 조금 다르다. 그래 봐야 통할 리가 없기 때문이다. 두려움은 감정이며 감정을 장기간 유지할 수는 없다. 물리적으로 불가능하다. 재림을 가지고 끊임없는 희망을 불러일으키는 일도 같은 이유에서 불가능하다. 모든 위기감은 본질상 한시적이다. 감정이란 있다가도 없어지는 것이며, 있을 때 잘 쓰면 된다. 감정이 우리 영혼의 정규 식단일 수는 없다.

중요한 것은 종말에 관해 늘 두려움(이나 희망)을 품는 것이 아니라 종말을 늘 기억하고 염두에 두는 것이다. 도움이 될 만한 이야기가 있다. 70세 노인이 자신 앞에 임박한 죽음을 (입에 담기는 고사하고) 늘 느끼며 살 필요는 없다. 그러나 현명한 70세 노인이라면 당연히 늘 죽음을 염두에 둔다. 20년을 더 살 것처럼 아무 일이나 벌인다면 어리석은 사람이며, 유언장을 작성하지 않는다면(사실은, 벌써 오래전에 작성해 두지 않았다면) 어리석음은 극에 달한다.

모든 인간이 죽음을 피할 수 없듯이 인류 전체에게는 그리스도의 재림이 있다. 그러므로 모든 사람은 목숨에 "연연할" 것이 아니라 인생이 얼마나 짧고 위태롭고 덧없고 무상한지를 기억해야 한다. 죽음과 함께 끝나 버릴 무엇에 결코 마음을 다 바쳐서는 안 된다. 그런데 현대 그리스도인이 좀처럼 잘 기억하지 못하는 사실이 있다. 이 세상을 사는 인류 전체의 수명도 위태롭고 덧없고 무상하다는 것이다.

많은 도덕가들의 말처럼 운동선수나 소녀 무용수가 맛보는 개인적 승리는 한시적이다. 요지는 제국이나 문명도 한시적임을 기억하자는 것이다. 성취와 승리가 한낱 현세적인 한 결국은 아무것도 아니다. 지구에 생명체가 살 수 없는 날이 온다. 이것만큼은 대다수 과학자도 신학자와 생각이 일치한다. 인류 전체의 수명이 한 사람 한 사람의 일생보다야 길지만 그래도 끝이 있기는 마찬가지다. 차이라면 과학자는 내부로부터의 점진적 붕괴만을 예상하는 반면 우리는 외부로부터의 급작스런 중단임을 안다는 것이다. 정말 어느 순간일지 모른다. ("지금이 세상의 마지막 밤이라면 어떨까?")

자칫 후세를 위한 노력을 덜해도 된다는 말처럼 들릴 수 있다. 하지만 우리에게 어느 순간에 닥칠지 모르는 것이 종말만이 아니라 심판임을 기억한다면, 그런 결론은 설 자리를 잃는다. 후세를 위한 의무가 우리의 유일한 의무인 것처럼 말하는 일부 현대인의 성향은 이로써 고쳐질 수 있고 고쳐져야 한다.

어떤 부지런한 혁명가가 수백만 동시대인에게 만행과 불의를 저질러 놓고는 자기 딴에는 진지하게 그 혜택이 미래 세대에게 돌아갈 거라는 논리로 이를 정당화해 왔다고 하자. 아마도 종말에 이 혁명가보다 더 공포에 질릴 사람은 없을 것이다. 어차피 존재하지 않을 미래 세대였음을 그 끔찍한 순간에 알게 될 테니 말이다. 그제야 그는 모든 학살과 부정 재판과 국외 추방이 돌이킬 수 없는 현실이었고, 방금 끝난 드라마에서 자신이 연기한 주요 역할이었음을 깨달을 것이다. 반면에 장래의 유토피아는 처음부터 환상에 불과했다.

"지금이 세상의 마지막 밤"일 수도 있음을 생각하면, 미친 듯이 세상에 만병통치약을 투여하는 일은 무의미해진다. 그러나 평범한 도덕과 지혜의 한계 내에서 성심껏 미래를 위해 쏟는 노력은 그렇지 않다. 심판이 있기 때문이다. 소명에 충실하다 심판을 맞이하는 이들은 행복하다. 그냥 밖에 나가 돼지를 치는 사람이든, 선한 구상으로 백 년 후의 인류를 크나큰 악에서 구하려는 사람이든 다를 바 없다.

마침내 극의 막이 내리면 돼지는 더 이상 먹이를 얻지 못하고, 백인의 노예제도나 정부의 폭정을 퇴치하려는 큰 싸움은 승리에 이르지 못한다. 그래도 괜찮다. 검사관이 오실 때에 당신은 당신의 자리를 지켰다.

선조들은 최후의 **심판**이라는 단어를 단순히 "처벌"이라는 뜻으로 쓰는 버릇이 있었다. 그래서 "그 사람에게 심판이 임했다"라는 표현이 보편화되었다. 그러나 때로 심판을 더 엄격한 의미로, 즉 상이나 벌이 아닌 '판결'로 이해하면 그 실체가 더 실감날 수 있다. 어느 날("지금이 세상의 마지막 밤이라면 어떨까?") 완벽한 평가라고 불러도 좋을 정확 무오한 판결이 우리 각자에게 떨어질 것이다.

작은 심판 내지 판결은 현세에도 누구나 접한다. 가끔가다 다른 사람들이 나를 정말 어떻게 생각하는지를 알게 될 때다. 물론 면전에서 하는 말은 예외다. 그거라면 대체로 무시해야 한다. 반대로 가끔 우연히 엿듣는 말, 이웃이나 직원이나 부하의 행동에서 부지중에 드러나는 나에 관한 속생각, 아이나 심지어 동물이 꾸밈없이 내보이는 섬뜩하거나 흐뭇한 판단 등이 이에 해당한다. 이런 발견은 우리에게 가장 쓰라리거나 가장 달콤한 경험일 수 있다.

다만 그러한 심판을 내린 상대방의 지혜에 갖는 우리의 의구심 때문에 쓴맛도 단맛도 어느 정도 제한된다. 우리는 나를 겁쟁이나 불량배로 단정하는 이들에 대해서는 늘 그게 그들의 무지나 심술의 소치이기를 바라는 반면, 나를 신뢰하거나 좋게 보는 이들에 대해서는 그게 그들의 잘못된 편애 때문일까 봐 늘 걱정한다. (언제 닥칠지 모르는) 최후의 심판도 이런 작은 경험과 비슷하되 이를 무한대로 확대한 것이 아닐까?

그 심판은 무오하다. 유리한 판결이라면 틀렸을까 봐 걱정할 일이 없고, 불리한 판결이라면 틀렸기를 바랄 수 없다. 심판자의 언도가 곧 내 실상임을 우리는 믿을 뿐 아니라 알게 된다. 나라는 존재의 모든 세포로 의심의 여지없이 알고는 기겁하거나 희열에 젖는다. 진작부터 알 수도 있었음을 희미하게나마 깨달을지도 모른다. 또 나만 아는 게 아니라 조상과 부모와 배우자와 자녀를 포함해 모든 피조물이 알게 된다. 반론의 여지없는 각자의 진상이 (그때에는) 명백하게 모든 사람에게 알려진다.

구름 속에 나타나는 징조, 두루마리처럼 말리는 하늘 등 물리적인 재난이 일어나는 광경은 심판의 적나라한 개념만큼 우리에게 도움이 되지 못한다. 사람이 늘 들떠 있을 수는 없다. 그러나 자신을 훈련하여 점점 더 자주 이렇게 자신에게 물을 수는 있다. 매 순간 내가 말하고 행동하는 것(또는 행동하지 못하거나 행동하지 않은 것)에 불가항력의 빛이 비쳐 들면 어떻게 보일까? 그 빛은 이 세상의 빛과는 사뭇 다르지만, 이미 아는 만큼만으로도 우리는 그 빛을 염두에 두고 살 수 있다.

때로 여성들은 옷이 자연적인 햇빛 아래서 어떻게 보일지를 인공조명 아래에서 판단해야 하는 어려움을 겪는다. 우리 모두의 문제도 아주 비슷하다. 영혼의 옷을 입되 현세의 전등불이 아니라 내세의 햇빛에 맞추어야 하는 것이다. 그 빛을 소화할 수 있다면 좋은 옷이다. 그 빛은 영원하기 때문이다.

《세상의 마지막 밤 *The World's Last Night*》, "세상의 마지막 밤"

줄기찬 일상 속 도발,
용서를 계속
실천하려면?

(교회 밖에서처럼) 우리는 교회에서도 뜻을 생각해 보지도 않고 하는 말이 참 많다. 예를 들어 "죄를 사하여 주시는 것〔을〕…… 믿사옵나이다"라는 사도신경도 그렇다. 나도 몇 년이나 그렇게 신앙 고백을 읊다가 비로소 어느 날 왜 이게 사도신경에 들어 있을까 하는 의문이 들었다. 언뜻 보기에는 별로 넣을 만한 대목이 아닌 것 같다. '그리스도인이라면 당연히 죄 사함을 믿는다. 두말할 필요도 없지 않은가'라는 생각에서다.

그런데 사도신경을 작성한 사람들은 용서를 교회에 갈 때마다 다시금 떠올려야 할 신조의 일부로 생각했던 것 같다. 점점 깨닫고 보니 적어도 내 경우에는 그들이 옳았다. 죄 용서를 믿기란 결코 생각만큼 쉽지 않다. 정말 그대로 믿으려면 용서를 계속 갈고 닦아야지, 그렇지 않고는 걸핏하면 증발해 버리는 것이 용서다.

우리가 믿거니와 하나님은 죄를 용서해 주시지만, 그 용서에는 남이 우리에게 지은 죄를 우리도 용서한다는 전제가 달려 있다. 이 진술 후반부에 의문의 여지는 없다. 예수님이 주기도문 등에 강조하여 확언하셨다. 다른 사람을 용서하지 않으면 우리도 용서받지 못한다. 그분의 가르침 가운데 이보다 명확한 대목은 없다. 예외도 없다. 남의 죄가 너무 흉악하지 않거나 정상 참작이 가능할 때만 용서하라고 하지 않으셨다. 아무리 악의적이고 비열하고 자주 반복되는 죄라도 다 용서해야 한다. 그러지 않으면 우리도 죄를 하나도 용서받지 못한다.

그런데 하나님께 죄를 용서받을 때나 다른 사람의 죄를 용서할 때나 우리가 자주 범하는 과오가 있다.

우선 하나님의 용서부터 생각해 보자. 내 경우 하나님께 죄 용서를 구한다지만 (주도면밀하게 자신을 살피지 않는 이상) 사실은 전혀 다른 것을 구할 때가 많다. 용서를 구하기보다 실은 변명을 늘어놓는 것이다. 하지만 용서와 변명은 천지차이다. 용서한다는 것은 "맞다, 당신 잘못이다. 그렇지만 내가 당신의 사과를 받아들이고 다시는 이 일을 문제 삼지 않겠다. 우리 둘 사이는 모든 것이 이전과 똑같다"라는 뜻이다. 그러나 변명을 받아 준다는 것은 "당신으로서도 어쩔 수 없었거나 본의가 아니었다. 정말 당신 잘못이 아니다"라는 뜻이다. 정말 내 잘못이 아니라면 용서받을 일도 없다. 그런 의미에서 용서와 변명은 거의 정반대다.

물론 하나님을 대할 때든 사람끼리의 일이든 그 둘이

섞여 있는 경우도 아주 많다. 처음에 죄로 보이던 부분이 알고 보니 정말 어느 누구의 잘못도 아니라면, 거기까지는 정당한 변명이다. 나머지만 용서받으면 된다. 전부 변명의 영역이면 용서가 필요 없고, 온통 용서받을 행동이면 변명이 있을 수 없다.

문제는 "하나님께 용서를 구한다"라는 말이 사실은 변명을 받아 주십사 하는 의미일 때가 비일비재하다는 것이다. 우리가 이런 잘못에 빠지는 이유는 대개 정당한 변명 즉 "정상을 참작할 만한 정황"도 어느 정도 존재하기 때문이다. (자신에게와) 하나님께 그 부분을 지적하려고 안달하느라 우리는 정말 중요한 부분을 망각하기 일쑤다. 바로 변명으로 통하지 않는 나머지 부분, 변명의 여지는 없지만 다행히 용서마저 불가능하지는 않은 부분이다. 이 사실을 망각하면 우리는 실컷 자신의 변명에 도취해 놓고는 하나님께 회개해서 용서받았다는 착각에 빠진다. 아주 구차한 변명일 수 있는데도 너무 쉽게 자신에게 만족해 버린다.

이 위험을 퇴치할 해법은 두 가지다. 하나는 모든 정당한 변명을 우리보다 하나님이 훨씬 잘 아심을 기억하는 것이다. 정말 "정상을 참작할 만한 정황"이 있다면, 그분이 이를 간과하실까 봐 걱정할 필요가 없다. 종종 우리가 생각지도 못했던 많은 정당한 변명까지도 그분은 틀림없이 아신다. 그래서 겸손한 영혼이라면 죽은 뒤에 자신의 죄가 경우에 따라 생각보다 훨씬 덜함을 깨닫고 깜짝 놀라며 기뻐할 것이다. 정당한 변명일랑 그분이 다 해 주신다.

우리가 그분께 가져가야 할 부분은 변명의 여지가 없는 죄다. (본인 생각에) 변명이 통할 만한 부분만 온통 거론한다면 시간 낭비일 뿐이다. 의사한테 가거든 잘못된 부분(예컨대 골절된 팔)만 보여 주면 된다. 다리와 눈과 목은 괜찮다고 아무리 설명해 봐야 시간 낭비다. 당신의 생각이 틀렸을 수도 있고 설령 정말 다 괜찮다 해도 의사가 이를 모를 리 없다.

두 번째 해법은 죄 사함을 확실히 믿는 것이다. 변명하고 싶은 우리의 욕구는, 용서받을 수 있다고 실제로 믿지 않아서 생기는 것이다. 내 쪽에 유리한 변론으로 하나님을 납득시키지 않는 한 그분이 나를 다시 받아 주시지 않을 거라는 생각 때문이다. 하지만 이는 아예 용서가 아니다. 진정한 용서란 모든 정상이 참작되고도 변명의 여지없이 남아 있는 죄를 그 속의 모든 섬뜩함과 더러움과 비열함과 악의까지 똑바로 응시하되, 그럼에도 불구하고 가해자와 온전히 화해한다는 뜻이다. 그것만이 용서이며, 우리가 구하기만 하면 언제든지 하나님께 그렇게 용서받을 수 있다.

사람 간에 용서하는 문제는 이와 똑같은 면도 있고 다른 면도 있다. 똑같은 이유는 사람 사이의 용서 역시 상대의 변명을 받아 준다는 뜻이 아니기 때문이다. 그런데 그런 뜻인 줄로 착각하는 사람이 많다. 자신을 속이거나 괴롭힌 사람을 용서하라고 권하면, 그들은 이 말을 상대방이 자신을 정말 속이거나 괴롭힌 행위가 없었다는 의미로 오해한다. 하지만 그런 일이 없었다면 용서하고 말 것도 없다. 그들은 "분명히 그 사람은 가장 진지한 약속을 어겼다"라고 거듭 항변한다. 맞는 말이다. 바로 그 죄를 용서해야 한다. (그렇다고 상대의 다음번 약속을 꼭 믿어야 한다는 뜻은 아니다. 다만 당신의 마음속에 싹트는 모든 원한, 상대에게 모욕이나 상처나 복수를 가하려는 모든 욕구를 최선을 다해 죽여야 한다는 뜻이다.)

이 상황이 하나님께 용서를 구할 때와 다른 점은 이렇다. 우리는 자신의 경우에는 걸핏하면 변명을 늘어놓으면서 타인이 하는 변명은 여간해서 인정하지 않는다. 그러므로 거꾸로 자신의 죄에 대해서는 변명이 생각만큼 썩 탄탄하지 못하다고 보면 무방하고(확실하지는 않다), 타인이 내게

진정한 용서란 모든 정상이 참작되고도

변명의 여지없이 남아 있는 죄를

그 속의 모든 섬뜩함과 더러움과

비열함과 악의까지 똑바로 응시하되,

그럼에도 불구하고

가해자와 온전히 화해한다는 뜻이다.

그것만이 용서이며, 우리가 구하기만 하면

언제든지 하나님께 그렇게 용서받을 수 있다.

지은 죄에 대해서는 변명이 생각보다 정당하다고 보면 무방하다(확실하지는 않다).

생각만큼 상대방 탓이 크지 않음을 보여 주는 모든 변수에 먼저 주목해야 한다. 설령 전적으로 그의 탓이라 해도 용서해야 하고, 그의 죄인 것 같았는데 99퍼센트가 정당한 변명으로 해명된다면 나머지 1퍼센트의 죄를 용서하면 된다. 정당한 변명을 받아 주는 일은 기독교의 사랑이 아니라 공정한 처사일 뿐이다. 그리스도인다우려면 변명의 여지없는 죄를 용서해야 한다. 하나님도 변명의 여지없는 당신의 죄를 용서하셨다.

어려운 일이다. 큰 피해라 해도 한 번이라면 그리 어렵지 않게 용서가 가능할 수도 있다. 그러나 일상생활에서 줄기차게 가해 오는 도발을 매번 용서하려면 어떻게 해야 할까? 이래라저래라 하는 시어머니나 장모, 괴롭히는 남편, 잔소리하는 아내, 이기적인 딸, 거짓말을 일삼는 아들을 어떻게 계속 용서할 수 있을까?

자신의 처지를 기억해야만 가능하다. 즉 밤마다 "우리가 우리에게 죄 지은 자를 사하여 준 것같이 우리 죄를 사하여 주시옵고"라고 기도할 때 그 말이 진심이어야 한다.

우리에게 베푸시는 용서에는 다름 아닌 그 조건이 붙어 있다. 이를 거부하면 자신을 향한 하나님의 자비까지 거부하는 셈이다. 여기에 예외의 경우가 있을 거라는 낌새는 전혀 없으며, 하나님의 말씀은 농담이 아니다.

《영광의 무게 *The Weight of Glory*》, "용서"

어떻게
자기를 사랑하면서
부인할 수 있는가?

자기 부인은 기독교 윤리의 핵심으로 간주되며 실제로 그렇다.

아리스토텔레스는 특정한 자기애self-love를 예찬했는데, 그가 정당한 자기애와 부당한 자기애를 신중히 구분했음에도 불구하고 우리에게는 그것이 본질상 기독교의 아류로 느껴질 수 있다.[1] 성 프랑수아 드 살레의 "자아를 향한 온유함에 관하여"라는 장은 어떻게 보아야 할지 더욱 분간하기가 어렵다.[2] 그 책에 그는 자아에 대한 원망까지도 금하면서, 자신의 잘못을 꾸짖을 때도 분노보다는 긍휼을 품고 "부드럽고 차분한 간언으로"[3] 하라고 권면했다. 같은 맥락에서 노리치의 줄리안도 동료 그리스도인만 아니라 "자아"를 대할 때도 "사랑으로 온화하게" 해야 한다고 말했다.[4]

신약에도 이웃을 "네 자신과 같이" 사랑하라는 명령이 나오는데(마 19:19; 22:39; 막 12:31, 33; 롬 13:9; 갈 5:14; 약 2:8), 자아를 미워하기만 해야 한다면 이 명령은 무참해질 것이다. 그러나 동시에 우리 주님은 참된 제자라면 "자기 목숨까지 미워"해야 한다고 말씀하셨다(눅 14:26; 요 12:25).

이 표면상의 모순을 설명하려고, 자기애란 어느 선까지는 옳지만 거기를 넘어가면 그르다고 말해서는 안 된다. 이는 정도의 문제가 아니다.

자기혐오에는 두 종류가 있는데 초기 단계에는 둘이 비슷해 보이지만, 하나는 처음부터 그르고 하나는 끝까지 옳다. 퍼시 비시 셸리(영국의 낭만파 시인-편집자)는 자기 비하를 잔혹성의 근원으로 보았고 이후에 활동한 다른 시인도 "이웃을 자신처럼 혐오하는" 사람을 용납할 수 없다고 했다. 이는 둘 다 매우 현실적이고도 반기독교적인 자기혐오를 가리켜 한 말이다. 평범한 이기심이 사람을 (적어도 한동안) 그저 짐승으로 만든다면, 그런 자기혐오는 그 사람을 마귀 수준으로 떨어뜨릴 수 있다.

우리 시대를 사는 냉철한 경제학자나 심리학자가 자신의 성향 속에 각각 "이념적인 오점"이나 프로이트가 말한 이기적 동기가 있음을 자각한다 해서 반드시 기독교의 겸손을 배우지는 않는다. 그들은 결국 자신을 포함한 모든 인간을 "낮잡아 보기" 쉬우며, 그것이 냉소나 잔혹성 또는 둘 다로 표출된다. 어떤 형태로든 전적 타락의 교리를 받아들이는 그리스도인도 그런 위험에서 늘 자유롭지는 못하다.

이 과정의 논리적 귀결은 자신에 대해서나 타인에 대해서나 괴로움(고통)을 숭배하는 것이다. 내가 제대로 읽었다면 데이빗 린지의 《아크투르스로의 여행》에서 또는 셰익스피어가 《리처드 3세》 결말부에 묘사한 엄청난 공허에서 그런 현상을 볼 수 있다. 리처드는 극도로 괴로운 나머지 자기애로 돌아서려 한다. 하지만 너무 오랫동안 모든 감정을 "버텨 낸" 지라 이것마저 (끝까지 냉소적으로) "버텨 낸다." 그래서 고작 한다는 것이 중언부언이다. "리처드는 리처드를 사랑한다. 나는 나란 말이다."[5]

요컨대 우리는 자아를 두 가지 방법으로 다루어야 한다. 한편으로 자아는 하나님의 피조물이며 사랑하고 기뻐해야 할 대상이다. 물론 지금은 가증스러운 상태지만 그래도 연민과 치유의 대상이다. 그런데 또 한편으로 모든 사람 가운데서 "나"라고 부르는 그 자아는 "나"라는 이유만으로 부당한 특혜를 주장한다. 이 주장만은 미워하다 못해 아주 죽여야 한다. 조지 맥도널드의 표현으로 "결코 잠시의 유예도 허락하지 말고 영원히 사멸시켜야" 한다. 이렇듯 그리스도인은 자존심의 아우성에는 끝없이 맞서 싸워야 하지만, 자아의 죄가 아닌 자아 자체는 긍정하고 사랑한다.

배격해야 할 잘못된 자기애는 타인의 자아를 대할 때도 똑같이 적용되는 기준이다. 이웃을 자신처럼 사랑하는 법을 제대로 배우고 나면(현세에는 거의 힘들겠지만), 자신을 이웃처럼 사랑하는 법도 배울 수 있을 것이다. 즉 자신을 편애가 아니라 자비charity로 대하는 것이다.

반면에 다른 종류의 자기혐오는 자아 자체를 미워하며, 유독 '나'라는 자아를 특별대우하는 데서 시작된다. 그토록 소중한 자신이 알고 보니 아주 형편없어서 자존심이 상하고, 그래서 자신의 자아부터 시작해 모두의 자아에게 복수를 꾀하는 것이다. 본래의 심한 이기심이 반전되어 "나 자신을 용납하지 않겠다"라는 논리를 끌어오는데, 당연히 거기에는 "그러니 남을 봐 줄 필요는 더욱 없다"라는 의미가 깔려 있다. 결국 타키투스의 책에 나오는 백부장처럼, "(자신도) 겪었기에 남에게는 더욱 매몰차게 된다."[6]

잘못된 금욕은 자아를 들볶지만 올바른 금욕은 이기심을 죽인다. 우리는 날마다 죽어야 한다. 그러나 아무것도 사랑하지 않는 것보다는 자아를 사랑하는 것이 낫고, 아무도 연민하지 않는 것보다는 자아라도 연민하는 것이 낫다.

《피고석의 하나님 *God in the Dock*》, "자아를 다루는 두 가지 방법"

신앙이란
이성理性에 맞서
싸우는 것인가?

많은 사람들이 차마 믿음을 곧이곧대로 미덕이라 말하지 못한다. '증거가 반대 사실을 가리키는데도 믿고 싶은 대로 믿겠다는 의지'를 예찬하는 것만 같기 때문이다. 옛날 이야기 속 어느 미국인은 믿음을 "사실이 아닌 줄 알면서도 믿는 힘"이라 정의했다.

내가 정의하는 믿음이란, 생각을 바꿀 만한 설득력 있는 이유가 나타나기 전까지는 여태 성심껏 사실로 알던 내용을 계속 믿는 힘이다. 그렇게 계속 믿기가 어렵다는 사실은 이 주제의 담론에서 으레 무시되거나 또는 오해된다. 신앙의 난관은 늘 지적 요인 때문이라고 전제된다. 일단 특정 명제를 받아들인 사람은 믿지 못할 만한 확실한 근거가 생겨나지 않는 한 자동으로 계속 믿는다는 것이다.

하지만 이는 너무도 피상적인 말이다. 기독교 가정에서 태어난 뒤 옥스퍼드대학에 입학하여 첫해에 곧바로 신앙을 잃는 학생 가운데 실제로 이성적 논리에 **설득되는** 경우가 몇이나 될까? 우리의 믿음이 갑자기 한동안 흔들리고 사라질 때, 잠시라도 심사대를 통과할 만한 합리적 근거가 있어서 그런 경우가 얼마나 될까?

남들은 어떤지 모르지만 내 경우는 장소만 바뀌어도 처

음에는 매번 믿음이 약해지는 경향이 있다. 낯선 호텔 방에서 기도하면 학교에서 기도할 때보다 하나님이 덜 믿어진다. 비신자들 틈에 있으면 신앙이 더 힘들어진다. 다른 모든 주제에서 비신자들의 견해가 무익하다고 밝혀진 경우에조차 말이다.

믿음의 비이성적 부침浮沈은 신앙에만 국한되지 않고 어떤 신념에든 하루 종일 발생한다. 전쟁 상황을 내다볼 때도 그렇지 않던가? 물론 실제로 좋은 소식이나 좋지 않은 소식이 전해지는 날도 있어, 이때는 그 이성적 근거에 기초해 낙관이나 비관이 깊어진다. 그러나 누구나 경험해 보았겠지만, 어느 쪽으로든 새로운 근거가 없는데도 강한 확신이 밀려오거나 불안이 바닥을 치는 날도 있다. 물론 일단 그런 기분이 들면 금세 우리는 그만한 이유를 **찾아낸다**. 말로는 "충분히 생각해" 보았다 하지만, 사실 **그와 달리** 그 이유는 분명히 기분에서 나왔다.

신자의 이런 문제에 그보다 더 가까운 사례도 있다. 수영이나 암벽 등반을 배우는 일은 위험해 보이지만 위험하지 않다. 강사도 안전하다고 말하고, 당신도 지난 경험으로 미루어 그를 믿을 만한 이유가 충분하다. 어쩌면 직접 자신의 이성으로 안전성을 확인할 수도 있다. 그러나 중요한 질문은, 실제로 물속에 받쳐 주는 손이 없거나 벼랑 끝이 내려다보일 때도 계속 그렇게 믿을 수 있느냐는 것이다. 불신할 만한 **이성적** 근거는 없다.

믿음을 공격하는 것은 당신의 오감과 상상이다. 신약에 나와 있듯이 이는 '믿음과 이성의 싸움'이 아니라 '믿음과 보는 것의 싸움'이다. 듣거나 보기에 너무 위험하지만 않으면 우리는 **명백히** 위험한 일도 능히 감당해 낸다. 대개 우리의 진짜 문제는 **명백히** 안전한 일이 무서워 보일 때다. 그리스도를 믿는 우리의 신앙이 흔들릴 때는 진정한 논증으로 공격당할 때라기보다 신앙에 개연성이 없어 **보일** 때다. 즉 온 세상이 그런 멍한 **표정**을 지을 때다. 이 표정은 실재보다 우리의 감정 및 인식 상태에 대해 훨씬 많은 것을 말해 준다.

사람들에게 믿음이라는 미덕(일정한 내용을 계속 믿겠다는 확고한 의지)을 권할 때 우리는 이성에 맞서 싸우라고 권하는 것이 아니다. 계속 믿으려는 의지가 필요한 이유는 하나님이 주신 이성을 인간이 본래 취지대로 쓸 줄 모르기 때문이다.

일단 감정이 끼어들면, 용광로 앞에서 점도를 유지할 수 없는 눈송이만큼이나 인간의 이성도 은혜의 도움 없이는 기존 진리를 고수하기가 힘들다. 우리의 이성은 유혹에 굴하는 순간 설득당해 기독교에 대한 반론을 받아들일 수 있는데, 그런 반론은 대개 앞뒤가 맞지 않는다. 이성으로 각종 진리를 얻을 수는 있으나 믿음 없이 이성으로만 진리가 고수되는 기간은 사탄의 손에 달려 있다.

어떻게 설득되느냐에 따라 인간은 무엇이나 믿을 수도 있고 믿지 않을 수도 있다. 가끔이 아니라 한결같이 이성적 존재로 살려면, 선물로 주시는 믿음을 기도로 구해야 한다. 계속 믿되 이성에 맞서서가 아니라 (이성이나 권위나 경험 또는 그 셋 모두가 한때 진리 대신 우리에게 안겨 주었던) 정욕과 두려움과 시기와 권태와 냉담함에 맞서서 믿을 수 있는 힘을 구해야 한다.

기도가 응답될 때 아마 우리는 그 내용에 놀랄 것이다. 우리의 믿음이 약한 원인 중에는 믿음이 아주 강해서는 **안 된다는** 자신의 은근한 바람도 있지 않을까 싶어서 하는 말이다. 혹시 우리 마음속에 뭔가 거리낌이 있지 않은가? 종교에 **너무** 진지해졌다가 어떻게 될지 두렵지 않은가? 그렇지 않기를 바란다. 하나님이 우리 모두를 도우시고 용서해 주시기를 바란다.

《기독교적 숙고 *Christian Reflections*》, "종교: 실재인가 대체물인가?"

집에서도
나는 신자인가?

"그래서 가정은 국민 생활의 기초가 되어야 합니다. 결국 성품이 형성되는 곳은 가정입니다. 우리의 참모습이 드러나는 곳도 가정입니다. 바깥세상의 피곤한 가면을 벗어던지고 본연의 자신으로 돌아갈 수 있는 곳도 가정입니다. 일상생활의 소음과 스트레스와 유혹과 방종에서 물러나 새 힘을 얻고 순수함을 회복하는 원천도 가정입니다."

설교자가 이렇게 말하는 동안 회중 가운데 30세 이하의 모든 사람에게서 그에 대한 신뢰가 깨끗이 거두어지는 것이 보였다. 그전까지는 잘 듣고 있던 그들이 이제 발을 질질 끌며 헛기침을 했다. 좌석이 삐걱거리고 근육의 긴장이 풀렸다. 설교는 사실상 끝장난 셈이었다. 5분이나 더 이어진 설교자의 말은 완전히 시간 낭비였다. 적어도 우리 대다수에게는 그랬다.

내게도 그 설교가 시간 낭비였는지는 당신의 판단에 맡기겠다. 분명한 사실은, 나는 설교를 더 듣지 않고 생각에 잠겼다는 것이다. 생각의 출발점은 "하고많은 사람 가운데 어떻게 **저분**이 저럴 수 있을까?"라는 의문이었다. 그 설교자의 가정을 나도 꽤 잘 알았기 때문이다. 실은 바로 그날도 그 집에서 점심 식사를 같이 했다. 목사 내외 말고도 마침 아들(영국 공군[1])과 딸(영국 여자 국방군[2])이 둘 다 휴가를 나와 있어서 나까지 모두 다섯이었다. 사양할 수도 있었는데 딸이 내게 귓속말로 부탁했다. "부모님이 점심 식사에 청하거든 꼭 좀 남아 주세요. 손님이 계실 땐 그나마 조금 낫거든요."

그 목사관에서 점심을 먹을 때면 거의 매번 똑같은 틀이 있다. 우선 그 시간은 경쾌하고 빠른 말로 시시한 대화를 유지하려는 두 젊은이의 절박한 시도로 시작된다. 시시하다 함은 그들의 사고가 변변찮아서가 아니라(따로 만나면 진지한 대화가 가능하다) 홧김에 불쑥 터져 나오지 않고서야 집에서는 속마음을 내보일 생각이 둘 다 전혀 없기 때문이다. 그들이 말을 하는 이유는 순전히 부모의 입을 막기 위해서인데, 하지만 그게 뜻대로 되지 않는다.

어느 순간 목사(아버지)가 다짜고짜 아이들의 말을 끊고는 전혀 다른 화제로 끼어든다. 독일을 재교육하는 법에 대한 훈시다. 그는 독일에 가 본 적도 없고 독일 역사나 독일어도 전혀 모른다. "하지만 아버지"라고 아들이 말문을 열지만 대개 거기서 끊기기 마련이다.

어느새 사모(어머니)가 말하고 있는데, 정확히 언제부터 시작했는지는 아무도 모른다. 이웃이 자신을 함부로 대했다는 복잡한 이야기가 한창 진행 중이다. 장시간 이어지는데도 시작과 끝은 도통 알 수 없고 중간만 있을 뿐이다. 마침내 딸이 "어머니, 그건 부당한 말씀이에요. 워커 여사는 한 번도"라고 말을 꺼내는 순간 다시 아버지의 목소리가 쩌렁 울린다. 이번에는 아들에게 공군의 조직을 논한다. 계속 이런 식이다. 목사나 사모가 워낙 터무니없는 말을 해서 아들이나 딸이 애써 반박하지만 쇠귀에 경 읽기다.

드디어 두 젊은이의 속마음이 소환되어 행동에 나선다. 말이 격해지고 빨라지면서 경멸조로 변한다. 사실과 논리가 그들 편이다. 부모의 격노도 만만찮다. 아버지는 버럭 호통치고 어머니는 (안방마님의 단골 수법으로) "상처받았다"면서 한바탕 신파조로 흐른다. 딸은 빈정거리고 아버지와 아들은 일부러 서로를 무시하며 각자 나한테 말을 건다. 그날의 오찬은 이렇게 파국을 맞는다.

설교 시간 마지막 몇 분 동안 나는 그 점심 식사 자리가 기억나서 걱정되었다. 목사의 행실과 가르침이 모순되어서가 아니다. 물론 그것도 애석한 일이지만 지금 말하려는 취지는 아니다. 새뮤얼 존슨 박사가 말했듯이 행실이 심히 부족해도 가르침은 마냥 진실(하고 아주 유익)할 수 있다.[3] 바보가 아닌 다음에야 의사가 과음한다 해서 알코올의존증에 대한 그의 경고마저 불신할 사람은 없다.

내가 걱정한 이유는 가정생활이 힘들고 삶의 모든 분야처럼 거기에도 특유의 유혹과 타락이 존재한다는 사실을 목사가 언급조차 하지 않았기 때문이다. 시종 그는 "가정" 자체가 마치 행복과 덕행을 낳는 마법의 부적이나 만병통치약인 양 말했다. 문제는 그가 진실하지 않았다는 것이 아니다. 하지만 그의 말에는 자신이 경험한 가정생활이 전혀 반영되지 않았다. 지나치게 감상적인 전통을 앵무새처럼 되풀이했을 뿐인데 하필 잘못된 전통이었다. 그래서 회중이 그 설교에 더 이상 귀 기울이지 않은 것이다.

기독교를 가르치는 이들이 그리스도인들을 가정생활로 도로 불러들이려면 먼저 가정에 관한 거짓말을 그치고 현실적 가르침으로 대체해야 한다(내가 믿기로는 그래야 한다). 기본 원리는 다음과 같을 것이다.

첫째, 인류가 타락한 이후로 어떤 기관이나 생활 방식도 저절로 잘되는 법은 없다. 중세기에는 수도회에만 들어가면 자연히 거룩하고 행복해질 줄로 알았던 이들이 있었다. 그 치명적 오류가 당대의 현지 문헌에 줄줄이 밝혀져 있다. 19세기에는 일부일처제가 사람을 자연히 거룩하고 행복하게 해 준다고 생각한 이들이 있었다. 그 답을 새뮤얼 버틀러, 에드먼드 고스, 조지 버나드 쇼 등이 근대의 잔인한 가정 비판 문학에 담아낸 바 있다. 두 경우 다 "폭로자"들이 원리를 오해했거나 "오용 때문에 본래의 용도마저 폐기되지는 않는다"[4]라는 격언을 망각했을 수는 있지만, 현상 자체만은 정확히 짚어 냈다.

가정생활도 수도 생활도 가중스러울 때가 많았다. 다행히 주목해야 할 점은 이 두 제도를 진지하게 옹호하는 이들이 위험성도 십분 인식하여 감상적 환상에서 벗어나 있다는 것이다. 《그리스도를 본받아》를 쓴 저자는 수도 생활이 얼마나 쉽게 변질되는지를 (누구보다도 잘) 알았다. 샬럿 M. 영이 지적했듯이 가정은 지상천국에 이르는 통행권이 아니라 천국 지도를 보는 사람만이 항해할 수 있는 고단한 소명이다. 바로 이점부터 우리는 아주 분명히 해 두어야 한다.

국가처럼 가정도 하나님께 바쳐져 회심하고 구속救贖될 수 있다. 그러면 그 특유의 복과 은혜의 통로가 된다. 단, 인간의 다른 모든 것처럼 가정도 구속되어야 한다. 구속되지 못하면 그 특유의 유혹과 타락과 불행을 낳는다. 사랑이 가정에서 나오듯 사랑의 부재 역시 가정에서 시작된다.

둘째, 가정생활의 구속이나 성화가 결코 본능적 '정'情, affection이라는 의미의 "사랑"을 보존하는 데 그치지 않도록 주의해야 한다. (그런 의미의) 사랑으로는 부족하다. 참사랑과 구별되는 '정'은 '오래도록 지속되는 행복'의 원인이 못 된다. 정을 본능적 성향대로 두면 결국 욕심과 집착과 질투와 강요와 위축으로 변한다. 정이란 그 대상이 부재할 때는 괴롭지만 대상이 곁에 있어도 즐거운 보상이 오래가지 않는다.

앞서 말한 목사 가정의 점심 식탁에서도 정이 싸움의 일부 원인이었다. 아들은 다른 노인의 어리석은 행동이라면 진득이 익살맞게 받아 넘겼겠지만 자기 아버지의 그런 모습에는 화를 참지 못했다. 아버지의 급한 성미가 (어쨌든) "걱정스러웠기" 때문이다. 사모도 가족을 (어떤 의미에서) "사랑하지" 않았다면 그렇게 자기연민에 빠져 끝없이 징징거리지 않았을 것이다. 공감과 정과 이해를 계속 악착같이 요구하다가 번번이 실망하면서 지금의 그녀가 되었다.

대다수의 대중 도덕가는 정의 이런 측면에 충분히 주목

하지 않는다. 사랑받고 싶은 욕심은 무섭다. 사랑만을 위해서 산다고 (거의 자랑스레) 말하는 이들 가운데 더러는 결국 사는 동안 원망을 입에 달고 산다.

셋째, 가정생활의 특성 가운데 가정의 주된 매력으로 과시되는 부분이 도리어 커다란 함정임을 깨달아야 한다. "우리의 참모습이 드러나는 곳도 가정입니다. 가면을 벗어 던지고 본연의 자신으로 돌아갈 수 있는 곳도 가정입니다."

목사의 입에서 나온 이 말은 너무 사실이어서 문제였다. 그 말이 무슨 뜻인지를 본인이 점심 식탁에서 보여 주었다. 그는 집 밖에서는 상식적으로 예의 바르게 처신했다. 다른 젊은이의 말이라면 아들에게 하듯 중간에 자르지 않았을 것이다. 다른 사교 모임에서는 자신이 생판 모르는 주제에 관해 당당히 허튼소리를 하지도 않았을 테고, 설령 그랬다 해도 남이 바로잡아 주면 순순히 받아들였을 것이다.

실상 그가 가정을 "본연의 자신으로 돌아갈 수 있는 곳"으로 중시한다는 것은 건강한 사회생활에 꼭 필요한, 인류 문명의 모든 규제를 짓밟는다는 의미였다.

이런 일들이 너무 많이 벌어지고 있다. 가정에서 나누는 대화가 사회에서 나누는 대화와 다른 점은 대부분 그저 노골적 무례함일 때가 아주 많다.

대개 집에서 하는 행동은 유독 이기적이고 단정치 못하고 무례하고 심지어 잔인하기까지 하다. 가정생활을 가장 요란하게 예찬하는 사람일수록 이 점에서 최악의 가해자인 경우가 많다. 그들이 가정을 칭송하는(늘 귀가가 즐겁고, 바깥세상이 싫고, 손님을 견딜 수 없고, 사람을 만나기가 귀찮다) 이유는 집에서 자유에 취해 사느라 결국 문명사회의 부적응자가 되었기 때문이다. 어느새 그런 행동만이 "몸에 뱄지만" 다른 데서 그랬다가는 뭇매를 부르기 십상이다.

넷째, 그렇다면 가정에서는 **어떻게** 행동해야 할까? 자기 집에서 무방비로 편하게 쉬며 "본연의 자신으로 돌아갈" 수 없다면 과연 어디서 그게 가능하단 말인가? 솔직히 이것은 문제다. 답은 심상치 않다. 말의 고삐를 풀고도 무사할 수 있는 곳이 지상에는 **아무 데도** 없다. "본연의 자신"이 하나님의 자녀가 되어 있지 않은 한 무조건 "본연의 자신으로 돌아가는" 것은 결코 바람직하지 못하다. 물론 그렇다고 가정생활과 일반 사회가 똑같다는 말은 아니다. 다만 가정에도 그 나름의 예의범절이 있다는 뜻이다. 가정의 예절은 바깥세상보다 더 세밀하고 미묘하고 민감하며 그래서 어떤 면에서 더 어렵다.

끝으로, 가정이 은혜의 통로가 되려면 **규율**의 필요성을 가르쳐야 하지 않겠는가? **규칙**이 없이는 공동생활이 불가능하다. 규율의 반대는 자유가 아니라 가장 이기적인 구성원이 저지르는 (대개 무의식적인) 무법의 횡포다.

요약하자면, 가정생활에 대한 설교를 그만두든지 아니면 제대로 해야 한다. 감상적 칭송일랑 버리고 이제부터 참으로 기독교 가정을 창출하는 고결하고 힘들고 아름답고 과감한 방법을 실제적으로 조언해야 하지 않겠는가?

《피고석의 하나님 *God in the Dock*》, "설교와 점심 식사"

내 안에
'그리스도의 생명'이
제대로 심겼는가?

그리스도는 온전한 순복과 수욕을 맛보셨다. 온전하다 함은 그분이 하나님이신 까닭이요, 순복과 수욕은 그분이 인간이시기 때문이다. 우리도 그리스도의 겸손과 고난에 동참하면 사망을 정복하는 일에도 동참하여 사후에 새 생명을 얻고, 그리하여 온전하고 마냥 행복한 피조물이 된다. 이것이 기독교 신앙이다. 그분의 가르침을 따르려는 노력 그 이상이라는 말이다.

흔히들 진화의 다음 단계로 인간보다 우월한 존재가 언제 출현할지를 묻는다. 기독교적 관점에서 보면 그 일은 이미 이루어졌다. 그리스도라는 신종 인간이 출현했다. 그분에게서 기원한 새 생명이 우리 안에도 심겨져야 한다.

어떻게 그것이 가능할까? 육신의 생명을 어떻게 얻었는지를 잊어서는 안 된다. 이 생명은 우리의 동의 없이 다른 사람에게서, 즉 부모와 모든 조상에게서 왔다. 쾌락과 고통과 위험을 동반하는 아주 신기한 과정을 거쳐서 말이다. 그런 과정일 줄은 누구도 결코 짐작하지 못했을 것이다. 우리 대부분은 유년기에 몇 년씩이나 그 답을 궁리했고, 그중 더러는 처음에 답을 듣고도 믿지 않았다. 워낙 이상한 내용이니 그럴 만도 하다.

그러한 과정을 정하신 하나님이 새 생명(그리스도의 생명)이 전수되는 방법도 정하셨다. 그러니 이 또한 이상할 줄로 예상해야 한다. 그분은 성性을 창조하실 때와 마찬가지로 후자를 고안하실 때도 우리와 상의하지 않으셨다.

우리는 세례와 믿음과 성찬 이 세 가지를 통해 그리스도의 생명을 전수받는다. 성찬은 교파마다 명칭이 다양한 신비한 행위다. 어쨌든 이 셋이 통상적 방법이다. 특수한 경우에는 그중 하나나 둘이 없이도 생명을 전해 받을 수 있지만, 특수한 경우까지 파헤칠 시간은 없고 그만한 지식도 내게 부족하다. 어떤 사람에게 에든버러에 가는 법을 몇 분 내로 설명해야 한다면 당신은 기차 편을 알려 줄 것이다. 물론 배나 비행기로도 갈 수 있지만 굳이 그 말까지 보태지는 않을 것이다.

아울러 나는 세례와 믿음과 성찬 가운데 무엇이 최고의 본질인지는 다루지 않으려 한다. 감리교인 친구는 내가 믿음을 더 강조하고 나머지 둘은 (비교적) 덜 언급하기를 바랄 테지만, 나는 그럴 마음이 없다. 자칭 기독교 교리를 가르치는 사람이라면 누구나 셋 다를 권할 것이다. 우리의 지금 취지에도 그 정도로 충분하다.

이 셋이 왜 새 생명으로 이어지는 길인지는 나도 모른다. 하지만 인간의 출생이 육신의 특정한 쾌락과 맞물려 있다는 사실도 나는 막상 알기 전까지는 결코 알아차리지 못했을 것이다. 우리는 실재를 있는 그대로 받아들여야 한다. 이러해야 한다느니 저러하기를 바란다느니 하는 입씨름은 무의미하다.

하지만 새 생명을 이런 방법으로 주시는 이유는 몰라도 내가 왜 그렇게 믿는지는 안다. 예수님이 하나님이셨음을 (또한 지금도 하나님이심을) 내가 믿을 수밖에 없는 이유는 이미 설명한 바 있다. 그런 그분이 제자들에게 새 생명은 이렇게 전수된다고 가르치셨으며, 이는 명백한 역사적 사실이다.

다시 말해서 나는 그분의 권위에 입각하여 그렇게 믿는다. 권위라는 말을 두려워하지 말라. 권위에 입각하여 뭔가를 믿는다는 말은 믿을 만한 사람이 말해 주었기 때문에 믿는다는 의미일 뿐이다. 당신도 믿는 내용의 99퍼센트를 권위에 입각하여 믿는다.

나는 뉴욕이라는 곳이 있다고 믿는다. 직접 보지는 못했고, 그곳이 존재해야만 함을 추상적 논리로 입증할 수도 없다. 내가 그렇게 믿는 이유는 믿을 만한 이들이 말해 주었기 때문이다. 웬만한 사람은 태양계와 원자와 진화와 혈액 순환을 권위에 입각하여 믿는다. 즉 과학이 그렇게 말하기 때문이다. 세상의 모든 역사 진술도 우리는 권위에 입각하여 믿는다. 우리 가운데 아무도 노르만 정복이나 영국 해군이 스페인의 대함대 아르마다를 격퇴하는 장면을 본 사람은 없으며, 수학 문제를 풀 듯이 순수 논리로 이를 입증할 수도 없다. 그저 목격자들이 남긴 기록을 보고 믿을 뿐이다. 바로 권위에 입각한 믿음이다.

그런데도 어떤 이들은 유독 종교 분야에서만 권위를 배격한다. 그들이 다른 모든 분야에서도 똑같이 권위를 배격한다면 그 사람은 평생 아무것도 몰라야 한다.

내 말을 세례와 믿음과 성찬만 있으면 그리스도를 닮고자 힘쓰지 않아도 된다는 뜻으로 오해하지 말라. 부모에게서 목숨을 받는다 해서 가만히 있어도 목숨이 유지되는 것은 아니다. 본인이 양분을 공급하고 생명을 돌보아야 한다. 단, 생명을 당신이 만들어 내는 것이 아니라 남에게 받아서 유지할 뿐임을 늘 잊지 말라. 마찬가지로 그리스도인도 자기 안에 심겨진 그리스도의 생명을 잃을 수 있다. 그래서 힘써 지켜야 한다.

아무리 사상 최고의 그리스도인도 독불장군은 아니며, 자력으로는 결코 얻지 못했을 생명을 양육 내지 보호할 뿐이다. 여기에 몇 가지 실제적 의미가 함축되어 있다. 목숨이 붙어 있는 한 인체는 상당한 자연 치유력이 있다. 살갗을 베이면 어느 정도는 저절로 낫는다. 하지만 죽은 몸은 그 일을 하지 못한다. 살아 있는 몸이란 절대로 다치지 않는 몸이 아니라 웬만큼 자연 치유력이 있는 몸이다. 마찬가지로 그리스도인은 완전무결한 사람이 아니라 넘어질 때마다 능력을 받아 회개하고 일어나 다시 시작하는 사람이다. 내면에 그리스도의 생명이 있어 항상 그를 치유해 주고, 그분이 친히 맛보신 자발적 죽음을 능히 (어느 정도) 본받게 하기 때문이다.

그래서 그리스도인은 선해지려고 애쓰는 다른 이들과는 입장이 다르다. 그들은 선행을 통해, 신이 있는 경우 신의 마음에 들려 하고, 신이 없다고 생각할 경우 선량한 부류에게라도 인정받으려 한다. 그러나 그리스도인은 자신의 모든 선행이 내면에 주어진 그리스도의 생명에서 비롯된다고 본다. 우리가 선해서 하나님이 사랑하시는 것이 아니라 그분이 우리를 사랑하시기에 선하게 변화시켜 주신다는 것이다. 온실 지붕이 환해서 햇빛을 끌어 모으는 것이 아니라 햇빛이 비쳐서 환해지는 것과 마찬가지다.

분명히 말하지만 자기 안에 그리스도의 생명이 있다는 그리스도인의 고백은 그저 정신적 또는 도덕적 의미가 아니다. 내가 "그리스도 안에" 있다거나 그리스도께서 "내 안에" 계시다는 말은, 단지 그분에 대해 생각한다거나 그분을 본받는다는 말이 아니라 그리스도께서 실제로 나를 통해 움직이신다는 뜻이다.

전체 그리스도인의 무리는 물리적 유기체이며, 그리스도는 이 유기체를 통해 활동하신다. 즉 우리는 그분의 손가락이고 근육이고 체세포다. 이것으로 두어 가지를 설명할 수 있다. 우선 새 생명이 순전히 정신적 행위인 믿음으로만 아니라 신체적 행위인 세례와 성찬을 통해 전수되는 이유를 설명할 수 있다. 이는 단지 관념의 전수가 아니라 생물학적 또는 초생물학적 사실이다.

하나님보다 더 영적으로 되려는 노력은 부질없다. 그분은 애초에 인간을 영적인 존재로만 지으실 뜻이 없었다. 그래서 빵과 포도주 같은 물질을 통해 우리 안에 새 생명을 불어넣어 주신다. 우리 눈에는 그게 영적이지 못하고 조잡

내가 "그리스도 안에" 있다거나
그리스도께서 "내 안에" 계시다는 말은,
단지 그분에 대해 생각한다거나
그분을 본받는다는 말이 아니라
그리스도께서 실제로
나를 통해 움직이신다는 뜻이다.

해 보일지 모르지만 하나님의 생각은 다르다. 그분은 식생활을 창조하신 분이다. 물질을 좋아해 물질을 고안하신 분이다.

나를 난감하게 했던 문제가 또 있다. 새 생명이 그리스도에 대해 듣고 그분을 믿을 기회가 주어진 이들에게만 국한된다면 너무 불공평하지 않은가? 하지만 사실은 하나님이 다른 이들에 대한 계획을 우리에게 알리시지 않았을 뿐이다. 그리스도를 통하지 않고는 아무도 구원받을 수 없음은 우리도 알지만, 그리스도를 아는 사람만이 그분을 통해 구원받을 수 있는지는 아무도 모른다. 그나저나 그리스도 바깥에 있는 사람들이 걱정된다면 당신까지 바깥에 남아 있어서는 결코 안 될 일이다.

그리스도인의 무리는 그리스도의 몸이며 그분은 이 유기체를 통해 일하신다. 이 몸에 한 사람이 더해질 때마다 그분이 하실 수 있는 일이 더 많아진다. 그리스도 바깥에 있는 사람들을 돕고 싶다면 당신이라는 작은 세포를 그리스도의 몸에 더해야 한다. 그분만이 그들을 도우실 수 있다. 더 많은 일을 하려고 마음먹었으면서 되레 손가락을 자르는 사람은 없다.

또 다른 반론이 있을 수 있다. 하나님은 왜 적에게 점령당한 이 세상에 변장하고 오셔서 일종의 비밀 결사를 조직하여 마귀를 치시는가? 왜 대군을 이끌고 쳐들어오시지 않는가? 힘이 모자라서인가?

그리스도인은 그분이 장차 대군을 이끌고 오신다고 믿는다. 그 시기가 언제인지 모를 뿐이다. 하지만 지체하시는 이유를 짐작할 수는 있다. 우리에게 자진해서 그분 편에 가담할 기회를 주시려는 것이다. 어떤 프랑스인이 눈치만 보다가 연합군이 독일에 진군한 후에야 우리 편으로 나선다면, 당신도 나도 그를 대수롭게 여기지 않을 것이다. 하나님은 언젠가는 쳐들어오신다. 하지만 그분께 이 세상에 공공연히 직접 개입해 달라고 구하는 이들이 막상 그분이 그렇게 하실 때 어떤 일이 벌어질지를 알기나 할는지 의문이다.

그때는 그야말로 세상의 종말이다. 무대 위에 극작가가 등장하면 그 연극은 끝난 것이다. 하나님이야 어련히 쳐들어오시겠지만 그 순간이 닥쳐서야 당신이 그분 편이라고 말해 봐야 무슨 소용인가? 그날 자연계의 온 우주가 일장춘몽처럼 사라지고 뭔가 다른 것들이 밀려들어 온다. 당신이

한 번도 생각해 보지 못한 그 세계는 어떤 이들에게는 한없이 아름답고 어떤 이들에게는 한없이 무시무시할 텐데, 그 어느 누구에게도 더는 선택의 여지가 없다. 이번에는 하나님이 변장하지 않고 오시기 때문이다.

그 세계는 워낙 압도적이어서 사람에 따라 불가항력의 사랑 아니면 불가항력의 공포를 불러일으킨다. 그제야 어느 편인지를 정하려면 너무 늦다. 일어서기가 불가능해진 상황에서 엎드리겠다는 선택은 무의미하다. 그때는 선택의 시점이 아니라 자신이 알게 모르게 이미 어느 편을 선택했는지를 확인하는 순간이다.

오늘 지금 이 순간이 옳은 편을 선택할 기회다. 바로 그 기회를 우리에게 주시려고 하나님이 때를 늦추시는 중이다. 기회는 영원하지 않다. 잡든지 놓치든지 둘 중 하나다.

《순전한 기독교 *Mere Christianity*》, 2장 중 "실제적인 결론"

"내게 사는 것이
그리스도니"라는 말의
참뜻은?

세상에는 세 부류의 인간이 있다.

첫째는 자기만을 위해 제멋대로 사는 부류다. 이들에게 인간과 자연은 자신의 용도대로 재단할 원료에 불과하다.

둘째는 하나님의 뜻, 정언 명령(행위의 결과에 구애되지 않고 그 행위 자체가 선하기에 무조건 지켜야 한다고 요구되는 도덕적 명령-편집자), 사회의 선 같은 외부의 권익을 일부 인정하는 부류다. 이들은 사익을 추구하더라도 그런 권익의 범위를 벗어나지 않으려 노력한다. 꼭 필요한 정도만큼은 상위의 권익에 순응하려는 것이다. 세금을 내되 내고 남은 것으로 먹고 살기에 충분하기를 바라는 여느 납세자와 같다. 군인의 삶이 출동과 대기 상태로 나뉘고 학생의 삶이 수업 시간과 방과후로 나뉘듯이 이들의 삶도 분열되어 있다.

반면에 셋째 부류는 사도 바울처럼 "내게 사는 것이 그리스도니"(빌 1:21)라고 고백할 수 있다. 이들은 자아의 권리를 아예 깨끗이 버림으로써 자아와 하나님의 상충되는 권리 사이를 오가는 피곤한 일을 그만두었다. 이기적인 옛 의지가 돌이켜 재창조되어 새것으로 바뀌었다. 그리스도의 의지가 더는 그들의 의지를 제약하지 않는다. 그분의 뜻이 곧 그들의 뜻이기 때문이다. 그들의 시간도 모두 그분의 것이기에 또한 그들의 것이다. 그들이 그분의 소유이기 때문이다.

인간이 이렇게 세 부류인 만큼 세상을 그저 선악으로 양분하면 큰 낭패를 본다. 그러면 (우리 대부분에 해당하는) 둘째 부류가 늘 필연적으로 불행하다는 사실을 놓치고 만다. 도덕적 양심이 징수하는 대로 우리의 갈망에 대한 세금을 내고 나면, 그 나머지로는 먹고살기에 부족하다. 이 부류에 속해 있는 한 우리는 세금을 내지 않아 죄책감이 들거나 세금을 내고 나서 결핍감에 시달리거나 둘 중 하나다. 도덕법을 지키는 행위로는 "구원받을" 수 없다는 기독교 교리는 매일 경험하는 사실이다.

우리는 전진하지 않으면 후퇴할 수밖에 없는데, 우리 힘과 노력으로는 앞으로 나아갈 수 없다. 새 자아와 새 의지는 그리스도의 방식대로 와서 우리 안에 태어나야지 우리가 억지로 만들어 낼 수 없다.

그리스도께서 요구하시는 대가는 어떤 의미에서 도덕적 노력보다 훨씬 쉽다. 즉 그분을 원하기만 하면 된다. 물론 원하는 일 자체도 우리 힘으로는 안 되지만, 그래도 도움이 되는 사실이 하나 있다. 모든 세상적 만족은 우리를 버리게 되어 있어, 덕분에 우리도 그런 만족을 버릴 수 있다. 전쟁과 고생과 노화는 우리의 옛 자아가 처음부터 바라던 모든 것을 하나 둘씩 앗아 간다. 그래서 우리는 예수님을 구하는 수밖에 없으며, 결핍 덕분에 결국 구하기가 더 쉬워진다. 이런 우리를 그분은 자비로 받아 주신다.

《현안: 시대논평 *Present Concerns*》, "세 부류의 인간"

영광에 이르는
절묘한 길,
어떻게 걸어갈 것인가?

이 시대를 사는 선량한 사람 스무 명에게 최고의 덕목이 무엇이냐고 묻는다면 그중 열아홉은 "이기적이지 않은 것"이라 답할 것이다. 그러나 과거의 훌륭한 그리스도인에게 똑같이 물었다면 거의 모두 "사랑"이라 답했을 것이다. 어찌된 일인가? 부정 표현이 긍정 표현을 몰아냈다. 이는 언어학적 의미 이상으로 중요하다. 이기적이지 않다는 부정 개념에는 주로 남의 유익을 구하기보다 내가 그런 유익 없이 지낸다는 의미가 깔려 있다. 남의 행복보다 나의 절제가 관건이라는 식이다. 이는 기독교의 덕목인 사랑이 아니다.

신약에 자기 부인에 관한 말씀이 많지만 자기 부인 자체가 목적은 아니다. 우리가 자기를 부인하고 십자가를 져야 함은 그리스도를 따르기 위해서다. 그런데 그분을 따르는 삶의 최종 결과를 기술할 때 신약은 거의 언제나 인간의 갈망에 호소한다. 대다수 현대인의 머릿속에 자신의 유익을 갈망하고 간절히 누리기를 바라는 일은 잘못이라는 개념이 도사리고 있다면, 내 생각에 이는 임마누엘 칸트와 스토아 철학에서 온 개념이지 기독교 신앙이 아니다.

사실 복음서에서 약속한 보상이 얼마나 노골적이고 어

마어마한지를 생각하면, 우리의 갈망이 주님께 너무 강하기는커녕 오히려 너무 약해 보일 것이다. 우리는 건성건성 살아가는 존재인지라 그분이 무한한 기쁨을 베푸시는데도 기껏 술과 섹스와 야망 따위나 만지작거린다. 바닷가로 휴가를 가자는데도 그게 뭔지 몰라 판자촌에서 흙장난이나 하려는 아이와도 같다. 우리는 아무것에나 너무 쉽게 감동한다.

이런 보상의 약속을 이유로 대며 그리스도인의 삶이 타산적이라고 비난하는 비신자의 말은 그리 신경 쓰지 않아도 된다. 보상에도 여러 종류가 있다. 우선 어떤 보상은 그 보상을 가져다줄 행위와의 사이에 당연한 연관성이 없으며, 그런 행위에 마땅히 수반되어야 할 갈망과도 전혀 무관하다.

예를 들어 돈은 사랑의 당연한 보상이 아니다. 그래서 여자의 돈을 보고 결혼하는 남자는 타산적이다. 반면에 진정한 연인에게 결혼은 정당한 보상이며, 결혼을 갈망하는 것이 타산적이지도 않다.

작위를 얻으려고 잘 싸우는 장군은 타산적이지만 승리하려고 싸우는 장군은 그렇지 않다. 결혼이 사랑의 정당한 보상이듯 승리는 전투의 정당한 보상이다. 정당한 보상이란 활동의 대가로 주어지는 부산물이 아니라 활동 자체의 완성이다.

세 번째 종류의 보상은 더 복잡하다. 그리스어 시를 즐기는 즐거움은 분명히 그리스어 공부에 따르는 정당한 보상이며 타산적인 것이 아니다. 그러나 자신의 경험을 토대로 그렇게 말할 수 있으려면, 그리스어 시를 즐길 만한 경지에 도달해야만 한다. 연인과 장군은 각각 결혼과 승리를 내다보지만, 그리스어 문법에 갓 입문한 어린 학생은 나중에 어른이 되어 소포클레스의 시를 즐길 때를 내다볼 수 없다. 우선은 당장 성적을 잘 받거나 벌을 면하거나 부모를 기쁘게 하려고 공부한다. 기껏해야 현재로서는 상상하거나 갈망할 수 없는 미래의 유익을 바랄 뿐이다. 그래서 이 학생의 입장은 타산적인 사람과 상당히 비슷하다.

그가 얻을 보상은 실제로 당연하거나 정당한 보상이지만, 막상 얻기까지는 자신은 그 사실을 모른다. 물론 보상은 점진적으로 온다. 고역스럽기만 하던 그리스어 공부가 조금씩 즐거워진다. 정확히 언제 고역이 끝나고 즐거움이 시작되는지는 아무도 모른다. 다만 보상에 가까워지는 만큼만 보상 자체를 갈망할 수 있다. 사실 그런 강한 갈망 자체가 이미 첫 보상이다.

천국과 관련하여 그리스도인의 처지가 이 학생과 거의 같다. 이미 영생에 이르러 하나님을 뵙는 이들은 더 말할 나위 없이 명백하게 알겠지만, 영생은 단지 미끼가 아니라 바로 현세의 제자도의 완성이다. 그러나 아직 영생에 이르지 못한 우리는 그 수준까지 알 수 없으며, 그나마 조금이라도 알려면 계속 순종하면서 순종의 첫 보상(최종 보상에 대해 점점 강해지는 갈망)을 맛보는 수밖에 없다. 갈망이 깊어질수록, 그게 타산적 갈망이 아닐까 하는 우려는 점차 스러져 마침내 쓸데없는 기우가 되고 만다. 그러나 우리 대부분의 경우 그 일이 하루아침에 이루어지지는 않을 것이다. 문법이 시로 대체되고, 율법이 복음에 밀려나고, 갈망이 순종을 변화시키는 과정은 좌초된 배가 밀물에 떠오르는 것만큼이나 서서히 이루어진다.

그 학생과 우리에게 중요한 유사점이 하나 더 있다. 그에게 상상력이 풍부하다면 필시 그 나이에 맞는 영어로 된 시와 소설에 빠져들 것이다. 그리스어 문법 덕분에 그런 즐거움이 더욱 많아질 날을 미처 낌새채기 오래전부터 말이다. 아예 그리스어를 등한시한 채 몰래 퍼시 비시 셸리와 앨저넌 찰스 스윈번(영국 시인 겸 평론가-편집자)의 작품을 읽을지도 모른다. 다시 말해서 장차 그리스어로 충족될 갈망이 이미 그 안에 존재하는데, 이를 크세노폰(고대 그리스의 사상가이자 저술가-편집자)이나 그리스어 동사와는 전혀 관련 없어 보이는 대상인 영문학으로 대신 충족시킨다는 뜻이다.

만일 우리가 천국에 살도록 지음받았다면 그 제자리를 향한 갈망도 이미 우리 안에 존재하는데, 아직 이것이 진정한 대상인 천국으로 충족되지 않았을뿐더러 오히려 천국의 경쟁자처럼 보일 것이다. 실제로 우리가 그렇다.

물론 학생의 비유에 한 가지 허점이 있다. 그리스어를 공부할 시간에 그가 읽는 영시는 열심히 공부한 결과로 훗날 감상할 그리스어 시만큼이나 훌륭할 수 있고, 따라서 아이스킬로스(고대 그리스 비극 시인-편집자) 쪽으로 정진하지 않고 존 밀턴(《실낙원》의 저자로, 영국의 대표 시인-편집자)에 집중한다 해도 갈망의 대상이 잘못되었다 할 수 없다. 반면에 우리의 경우는 아주 다르다. 영원하고 무한한 선善이 우리 앞에 놓인 진정한 숙명일진대, 우리가 갈망의 대상으로 삼는 다른 모든 선은 어느 정도 허상일 수밖에 없다. 진정한 대상이 가져다줄 진정한 만족과는 기껏해야 상징적 관계일 수밖에 없다.

머나먼 본국을 향한 갈망이 이미 우리 안에 있는데도 나는 이 갈망을 논하기가 은근히 꺼려진다. 이제부터 당신 안에 있는 위로받지 못할 비밀이 폭로될 테니 어쩌면 내가 당신에게 무례를 범하는 셈이다. 이 비밀은 너무도 아파서 당신은 여기에 향수니 낭만이니 청춘이니 하는 이름을 붙여 복수를 가한다. 이 비밀은 또 워낙 감미롭게 사무치므로, 행여 대화가 깊어져 그런 말이 나올라치면 우리는 어색해하며 짐짓 웃어넘긴다. 감추거나 말하고 싶어도 그럴 수 없는 것이 이 비밀이다.

말할 수 없음은 그것이 정작 우리가 경험해 보지 못한 대상을 향한 갈망인 까닭이고, 감출 수 없음은 우리의 경험이 끊임없이 이를 환기시키기 때문이다. 그래서 우리는 말 한마디에도 연인처럼 속내를 들킨다. 우리의 가장 흔한 방책은 이를 아름답다고 칭함으로써 마치 문제가 해결된 양 행동하는 것이다. 윌리엄 워즈워스의 방책은 이를 과거의 특정한 순간으로 치환하는 것이었다. 하지만 이 모두는 속임수다. 워즈워스가 과거의 한순간으로 돌아가 만난 것은 실체가 아니라 추억이었을 테고, 회고한 내용 자체도 알고 보면 기억이었을 것이다.

아름다움이 책이나 음악 속에 있는 줄 알고 거기에 의지하면 돌아오는 것은 배반이다. 아름다움은 그 **속에** 있지 않고 이를 **통해** 올 뿐이다. 결국 책이나 음악을 통해 오는 것은 그리움이다. 아름다움과 지난 추억은 우리가 정말 갈망하는 대상의 이미지로서는 좋지만, 그것을 실체로 착각하면 우상으로 변해 숭배자의 마음을 찢어 놓는다. 그것은 실체가 아니라 우리가 맡아 보지 못한 꽃의 향기, 들어 보지 못한 곡조의 메아리, 아직 가 보지 못한 나라의 소식이기 때문이다.

내가 주문을 거는 것 같은가? 어쩌면 그럴지도 모른다. 하지만 흔한 동화를 생각해 보라. 주문은 마법을 걸 때만 아니라 풀 때도 쓰인다. 당신과 내게는 세상에서 가장 강한 주문이 필요하다. 그래야 지난 백 년 가까이 우리에게 씌워져 있던 세속성의 악한 마법에서 깨어날 수 있다. 그동안 우리 교육은 거의 다 이 수줍고도 집요한 내면의 소리를 잠재우기에 바빴고, 현대 철학은 거의 다 인간의 선善이 지상에 있다고 우리를 설득하기 위해 존재했다.

아름다움이 책이나 음악 속에 있는 줄 알고
거기에 의지하면 돌아오는 것은 배반이다.
아름다움은 그 속에 있지 않고 이를 통해 올 뿐이다.
결국 책이나 음악을 통해 오는 것은 그리움이다.
아름다움과 지난 추억은
우리가 정말 갈망하는 대상의 이미지로서는 좋지만,
그것을 실체로 착각하면 우상으로 변해
숭배자의 마음을 찢어 놓는다.

그런데 신기하게도 진보나 창조적 진화를 부르짖는 그런 철학 자체가 증언하는 진리가 있으니, 곧 우리의 진정한 목적지는 다른 데라는 것이다. 이런 철학의 대변자들이 이 땅을 본향이라 설득하려 할 때 어떻게 시작하는지 잘 보라. 우선 지상천국의 실현 가능성을 납득시켜 이 땅의 실향민인 당신의 심정을 달래 주려 한다. 다음으로 그 다행한 사건이 아직 까마득한 미래의 일임을 지적하여 모국이 지금 여기가 아니라고 아는 당신의 지식을 달래 준다.

끝으로 행여 영원을 향한 당신의 갈망이 깨어나 산통이 깨지는 일이 없도록, 그들은 온갖 말재주를 동원해 당신이 다음 사실을 깨닫지 못하게 한다. 즉 설령 그들이 약속한 행복이 지상의 인간에게 실현된다 해도 각 세대가 죽음으로 그것을 잃고 마침내 최후 세대까지 죽으면, 전체 이야기가 영원히 아무것도 아니고 이야기조차 아니라는 사실이다. 조지 버나드 쇼가 릴리스(버나드 쇼의 희곡 《므두셀라로 돌아가라》에 나오는 신화적 인물-옮긴이)의 마지막 대사에 넣은 온갖 허튼소리도 그렇고, "생명의 약동"으로 모든 장애물과 어쩌면 죽음까지도 극복할 수 있다는 앙리 베르그송의 말도 마찬가지다. 마치 지구상의 사회 진화나 생물학적 발전 때문에 태양의 노화가 지연되거나 열역학 제2법칙이 뒤집힐 수 있다는 듯이 말이다.

그들이 뭐라고 말하든 우리의 의식 속에는 이 땅의 행복으로 채우지 못할 갈망이 상존한다. 그렇다면 실재가 그 갈망을 채워 주리라고 볼 근거가 있을까? "배고프다고 빵이 존재한다는 보장은 없다"라는 말처럼 말이다. 하지만 단언컨대 그러면 요점을 놓친다. 어떤 사람이 시장기를 느낀다 해서 빵이 눈앞에 저절로 나타나리라는 보장은 없다. 그는 대서양의 뗏목 위에서 굶어 죽을 수도 있다. 그러나 인간이 음식을 먹어서 몸을 보전하는 종족이며, 인간 세상에 먹을거리가 존재한다는 사실만은 배고픔을 통해 확실히 입증된다.

마찬가지로 내가 갈망한다 해서 낙원을 누리리라는 보장은 없지만(그랬으면 좋겠다), 내 생각에 그 갈망은 어딘가에 낙원이 존재하여 장차 누군가가 누리리라는 징후로 보기에는 충분하다. 남자가 자신이 사랑하는 여자를 얻지 못할 수는 있지만, "사랑에 빠지는" 현상이 성性이 없는 세계에서 발생한다면 아주 이상할 것이다.

이렇듯 갈망은 건재하다. 다만 여전히 대상을 잘 몰라

방황하며, 다분히 대상의 실제 소재지 쪽을 볼 줄 모를 뿐이다. 성경에 그 대상이 웬만큼 밝혀져 있는데, 물론 상징적 기록이다. 천국은 본질상 우리의 경험을 벗어나 있지만, 우리에게 이해되려면 경험 가능한 은유로 기술될 수밖에 없다. 그래서 성경에 그려진 천국은 외부의 도움 없이 우리의 갈망만으로 상상해 보는 천국만큼이나 상징적이다. 다시 말하면, 천국은 아름다운 자연이나 빼어난 악곡이 아니듯이 보석으로 가득 찬 곳도 아니다. 차이가 있다면 성경의 은유에는 권위가 있다는 점이다.

성경 기자들은 우리보다 더 하나님과 가까운 사이였고, 성경은 또 오랜 세월 그리스도인의 체험을 통해 검증되었다. 그런데 이 권위 있는 은유가 처음에는 내게 별로 매력 있어 보이지 않았다. 언뜻 보기에는 내 갈망을 깨우기보다 오히려 김이 빠졌다. 하지만 마땅히 그래야 한다. 그 머나먼 나라에 관해 기독교가 해 줄 수 있는 말이 내 머리로 이미 짐작한 수준에 그친다면, 기독교는 나보다 나을 것이 없다.

기독교에 그 이상이 있다면 당연히 당장은 "내 상상의 산물"보다 매력이 덜할 것이다. 아직 셸리의 시를 읽는 학생에게 소포클레스의 시는 지루하고 재미없어 보인다. 기독교가 객관적 종교일진대 우리는 그 안에 있는 헷갈리거나 반감이 드는 요소를 외면해서는 안 된다. 아직은 모르지만 꼭 알아야 할 내용이 바로 그 헷갈리거나 반감이 드는 부분에 숨어 있기 때문이다.

성경에서 천국에 관해 하는 약속을 대략 다섯 가지로 압축할 수 있다. 첫째, 장차 우리는 그리스도와 함께 있고, 둘째, 그분처럼 되고, 셋째, 한없이 풍부한 은유대로 "영광"을 얻고, 넷째, 어떤 의미로든 음식이나 잔치나 대접을 받고, 다섯째, 우주에서 모종의 공식 직위에 올라 도시를 다스리고 천사를 심판하고 하나님 성전의 기둥이 된다.

이런 약속을 보며 가장 먼저 드는 의문이 있다.

"첫 번째만 있으면 됐지 나머지는 굳이 왜 필요한가?"

그리스도와 함께 있는 상태에 뭔가를 더한다는 것이 가능한가? 옛날 어느 작가가 한 말처럼 하나님과 그 나머지가 다 있어도 하나님만 있는 사람보다 더 부자일 수는 없다.

역시 답은 상징의 속성에 있다. 언뜻 눈에 띄지 않을지 모르지만, 그리스도와 함께 있는 상태에 대해 지금 우리 대부분이 떠올릴 수 있는 개념도 사실은 나머지 약속만큼이나 상징이다. 공간적으로 가깝다는 개념과 지금의 우리 기준으로 사랑의 대화를 나눈다는 개념이 끼어들기 때문이다. 그리스도의 신성일랑 제쳐 두고 그분의 인성에만 치중하면서 말이다.

사실 알다시피 첫 번째 약속에만 몰두하는 그리스도인들은 매우 현세적인 은유(요컨대 결혼이나 성애의 은유)를 잔뜩 동원한다. 그런 은유를 비난할 뜻은 전혀 없다. 진심으로 나도 그 속으로 더 깊이 들어갔으면 좋겠고, 언젠가는 그리되기를 기도한다.

다만 내 요지는 이 또한 상징에 불과해 어떤 면에서는 실재와 같지만 다른 면에서는 그렇지 않다는 것이다. 따라서 이는 여러 다른 약속에 있는 다른 상징들로 보정되어야 한다. 약속이 다양하다 해서 우리가 궁극적으로 받을 복이 하나님 아닌 다른 것이라는 뜻은 아니다. 하지만 하나님은 인격체 이상이시므로, 그분의 임재를 누리는 기쁨을 현재 어설프게 경험하는 인격적 사랑의 관점에서만 생각해서는 안 된다. 지금 하는 경험은 편협하고 껄끄럽고 단조로울 수밖에 없다. 그래서 서로 바로잡고 변화를 주라고 우리에게 다른 은유도 많이 주어진 것이다.

이제 영광의 개념으로 넘어간다. 신약과 초기 기독교 저작에 영광이 매우 두드러진 주제임은 부인할 수 없는 사실이다. 구원에는 늘 종려나무, 면류관, 흰옷, 보좌, 해와 별 같은 광채 등이 따라 나온다. 이 역시 당장은 내게 전혀 매력이 없는데, 그런 면에서 나도 전형적인 현대인일 것이다.

영광 하면 나는 두 가지 개념이 떠오르는데 하나는 악하다는 것이고 하나는 우습다는 것이다. 내게 영광이란 명예나 물리적 빛을 뜻한다. 전자의 경우, 유명해진다는 것은 남보다 잘 알려진다는 뜻이므로 내게 명예욕은 경쟁심으로 비쳐지고 그래서 천국보다 지옥에 더 어울려 보인다. 후자의 경우 살아 있는 전구처럼 되고 싶은 사람이 누가 있을까?

처음에 이 문제를 살펴보다가 존 밀턴과 새뮤얼 존슨과 토마스 아퀴나스처럼 성향이 판이한 그리스도인들이 천국의 영광을 말 그대로 명예나 좋은 평판의 의미로 받아들였다는 사실에 깜작 놀랐다. 단, 사람들에게 받는 명예가 아니라 (이런 표현이 괜찮다면) 하나님이 "고마워하시며" 친히 인정하시는 명예였다.

나도 이 견해를 곰곰 생각해 보니 성경적이었다. 달란트 비유는 "잘하였도다 착하고 충성된 종아"라는(마 25:21)

하나님의 **칭찬을** 빼고는 성립되지 않는다. 이로써 내가 평생 품어 왔던 생각은 모래 위에 쌓은 성처럼 무너져 내렸다. 어린아이와 같이 되지 않고는 아무도 천국에 들어갈 수 없다는 말씀도 문득 떠올랐다. 아이(으스대지 않는 착한 아이)에게서 보이는 가장 뚜렷한 특징은 칭찬받을 때 꾸밈없이 마냥 좋아한다는 것이다. 아이만 아니라 개나 말도 마찬가지다. 오랜 세월 겸손을 잘못 알았던 탓에 나는 가장 겸허하고 어린아이 같고 피조물다운 기쁨을 이해하지 못했던 것 같다. 바로 동물이 사람 앞에서, 자녀가 아버지 앞에서, 학생이 교사 앞에서, 피조물이 창조주 앞에서 누리는 낮은 존재 특유의 기쁨이다.

물론 가장 순수한 이 갈망이 인간의 공명심 때문에 얼마나 흉하게 일그러지는지를 나도 안다. 도리를 다해 상대를 기쁘게 하고 나서 칭찬받을 때, 그 정당한 기쁨이 얼마나 빨리 자화자찬이라는 치명적 독으로 둔갑하는지도 직접 경험해 보았다. 하지만 그렇게 변하기 전에 내가 포착한 지극히 짧은 순간이 있었는데, 내가 마땅히 사랑하고 공경하는 이들을 기쁘게 했다는 뿌듯함이 그 순간만큼은 순수했다. 이것만으로도 앞날의 영광을 내다볼 이유로 충분하다.

차마 꿈꾸지 못했고 잘 믿어지지 않겠지만, 그날이 오면 구속받은 영혼은 자신이 창조 본연의 목적대로 하나님을 기쁘시게 했음을 마침내 알게 된다. 그때에는 허영심이 들어설 자리가 없고, 자기 힘과 노력으로 해냈다는 허황한 망상도 벗겨져 나간다. 지금의 자만심 따위는 털끝만큼도 없이, 하나님이 빚으신 자신의 모습을 한없이 순수하게 즐거워할 뿐이다. 오랜 열등감이 영영 치유되는 그 순간, 교만도 프로스페로의 책보다 더 깊이 바닷속에 잠긴다.

온전한 겸손에는 굳이 겸양이 필요 없다. 하나님이 흡족해하시는 작품이라면 그 작품 역시 자신을 흡족해하면 된다. "왕의 찬사를 물리치는 것은 도리가 아니다." 천국이 하나님께 칭찬받는 곳이라는 개념이 싫은 사람도 있겠지만, 그 반감은 교만한 오해에서 비롯한다.

결국 하나님의 얼굴은 우주의 궁극적 기쁨 아니면 공포의 대상이 되어 둘 중 하나의 표정으로 우리 각자를 향하실 수밖에 없다. 즉 형언할 수 없는 영광을 주시든지 아니면 결코 치유받거나 숨길 수 없는 수치를 당하게 하신다. 지난번 어느 잡지에 보니 우리가 하나님을 어떻게 생각하느냐가 가장 중요하다고 했던데, 천만의 말이다! 하나님이 우리를 어떻게 생각하시느냐가 더 중요하다 못해 무한히 중요하다. 사실 우리가 그분을 어떻게 생각하느냐는 그분이 우리를 어떻게 생각하시느냐와 맞물리지 않고는 하나도 중요하지 않다.

성경에 나와 있듯이 우리는 장차 그분 "앞에 선다." 법정에 출두해 조사를 받는다. 약속된 영광이란 곧 우리 가운데 정말 원하는 사람은 누구나 실제로 그 검사를 통과하고 인정받아 하나님을 기쁘시게 한다는 것이다. 믿어지지 않는 이 일은 그리스도의 사역을 통해서만 가능하다. 우리가 하나님을 기쁘시게 하고 그분의 행복에 실제로 기여하다니, 이런 일은 도저히 불가능해 보인다. 하나님이 우리를 그저 동정하시는 것이 아니라 사랑하셔서 예술가가 자기 작품을, 아버지가 자기 아들을 즐거워하듯 즐거워하시다니, 이 영광의 무게 내지 하중은 우리 머리로는 감당할 수 없을 정도다. 그런데 이 모두가 사실이다.

방금 무슨 일이 벌어졌는지 보라. 내가 만일 영광에 대한 성경의 권위 있는 은유를 거부하고 대신 처음에 내게 천국을 연상시키던 막연한 갈망만을 고집했다면, 그 갈망과 기독교에 약속된 영광의 연관성을 알 수 없었을 것이다. 그런데 성경에 등장하는 헷갈리거나 반감이 들 만한 요소를 일단 따라가고 나서 돌아보니 아주 놀랍게도 그 연관성이 더 말할 나위 없이 분명해졌다. 기독교에서 내게 소망하라고 가르치는 영광은 알고 보면 내 본연의 갈망을 채워 줄 뿐 아니라 그 갈망에 담긴 내가 미처 몰랐던 요소까지도 밝혀 준다. 잠시 주관적 소원을 제쳐 둔 덕에 나의 진정한 소원을 더 잘 알게 된 것이다.

앞서 영적 갈망을 기술할 때 내가 빠뜨린 가장 이상한 특성이 하나 있다. 우리가 이 특성을 인지할 때는 대개 잠시의 환영幻影이 사라지거나 음악이 끝나거나 풍경이 천상의 빛을 잃는 순간이다. 그때의 우리 심정이 "평소의 자아로 귀향하는 여정"이라는 존 키츠의 시구에 잘 표현되어 있다. 당신도 무슨 말인지 알 것이다. 잠시 우리는 그 세계에 속했다는 환상에 젖었으나 깨어 보니 그게 아니라 구경꾼일 뿐이었다. 아름다움이 미소를 지으며 얼굴을 우리 쪽으로 향했으나 딱히 우리를 반기거나 쳐다보지는 않았다. 우리를 맞이하거나 환영하거나 춤이 벌어진 자리에 들이지 않았다.

우리는 가려면 가고 머물려면 머물 수 있으나 "아무도 우리를 주목하지는 않는다." 이에 대해 과학자는 우리가 아름답다고 말하는 대상이 대부분 무생물이므로 그것이 우리를 주목하지 않는다고 해서 별로 놀랄 일이 아니라고 답할지 모른다. 물론 맞는 말이다. 그러나 지금 내가 말하는 것은 물리적 대상이 아니라 그런 대상이 잠시 메신저가 되어 가리켜 보이는 놀라운 메시지다. 이 달콤한 메시지에 씁쓸함이 섞여 있는 까닭은 그것이 좀처럼 우리한테 직접 온 것이 아니라 어쩌다 엿들은 말인 것만 같아서다. 여기서 씁쓸함이란 적의가 아니라 고통을 뜻한다. 감히 바라봐 달라고 청하지는 못해도 우리의 갈구는 애절하다.

이 우주에서 이방인 취급을 받는다는 심정과 그래서 인정받고 반응을 얻어 자신과 실재 사이의 큰 괴리를 연결하고 싶은 열망은, 우리가 가진 위로받지 못할 비밀의 일부다. 이런 관점에서 보면 앞서 말한 약속된 영광은 틀림없이 우리의 깊은 갈망에 딱 들어맞는다. 영광이란 하나님과 잘 통하는 사이가 된다는 뜻이기 때문이다. 즉 그분이 반응해 우리를 받으시고 인정하시고 우주의 중심 속으로 맞이해 주신다는 뜻이다. 우리가 평생 두드리던 문이 마침내 열리는 것이다.

영광을 하나님이 "알아주시는" 상태로 기술한다는 것이 어쩌면 좀 유치해 보일 수도 있다. 그러나 신약에 나오는 표현도 거의 비슷하다. 사도 바울이 하나님을 사랑하는 이들에게 전한 약속은 우리의 예상과 달리, 장차 그들이 그분을 안다는 것이 아니라 그분이 그들을 알아주신다는 것이다(고전 8:3). 이상한 약속이다. 하나님은 항상 모든 것을 아시지 않는가? 그런데 이 이상한 약속이 신약의 다른 본문에도 되풀이된다.

우리 가운데 누구라도 마지막 날 하나님 앞에 설 때에 "내가 너희를 도무지 알지 못하니 내게서 떠나가라"라는 끔찍한 말씀밖에 듣지 못할 수도 있다는 경고다. 지성으로 이해할 수 없고 감정으로도 감당하기 힘들지만, 어떤 의미에서 우리는 무소부재하신 그분의 임재에서 쫓겨나고 전지하신 그분의 지식에서 지워질 수 있다. 철두철미하게 **바깥에** 남겨질 수 있다. 내쳐지고 추방되고 소외되어 끝내 완전히 무시되는 것이다. 반대로 우리는 그분의 초대와 환영과 영접과 인정을 받아 누릴 수도 있다. 날마다 우리는 종이 한 장 차이인 그 두 가능성 사이를 걷는다.

그렇다면 우리 평생의 향수병(현재 단절감이 드는 우주의 무엇과 재결합하여 늘 밖에서만 보던 문안으로 들어가고 싶은 동경)은 그저 망상이 아니라 우리의 실상을 보여 주는 가장 확실한 지표인 셈이다. 마침내 안으로 불려 들어가면 이는 우리의 공로로는 결코 얻지 못할 영광이자 명예이며, 이로써 그토록 괴롭히던 고질병까지도 치유된다.

이제 영광의 다른 의미로 넘어간다. 영광은 환한 광채요, 물리적 빛이기도 하다. 장차 우리는 해처럼 빛나며 "샛별"(벧후 1:19; 계 2:28; 22:16)을 받는다. 그 의미를 나도 조금은 알 것 같다. 물론 어떤 면에서 하나님은 우리에게 샛별을 이미 주셨다. 청명한 아침에 일찍 일어나 밖으로 나가면 이 선물을 누릴 수 있다. 거기서 무엇을 더 바라겠느냐고 반문할지 모르지만, 우리가 원하는 것은 훨씬 그 이상이다.

미학 서적에서는 거의 언급하지 않는 그것을 시인들과 각종 신화는 알고 있다. 아름다움을 보는 것만도 분명히 큰 복이지만, 우리는 거기에 만족하지 않고 말로 표현하기 힘든 다른 무엇을 원한다. 아름다움과 연합해 그 속에 들어가고 아름다움을 내 속에 받아들여 거기에 잠김으로써 자신도 아름다워지기를 원한다. 그래서 자고로 인간은 하늘과

땅과 바다에 온갖 신과 여신과 정령과 요정을 살게 했다. 자연으로 표상되는 아름다움과 은혜와 힘을 우리는 누릴 수 없으니 그들이라도 대신 누리도록 투사하는 것이다. 시인들이 우리에게 그토록 감미로운 거짓을 속삭이는 이유도 그래서다.

그들은 하늬바람이 정말 인간의 영혼 속에까지 불어올 듯이 말하지만 그럴 수는 없고, "졸졸거리는 소리에서 태동한 아름다움"이 인간의 얼굴에 스며들 듯이 말하지만 그럴 일도 없다. 아직은 아니다. 하지만 성경의 은유를 진지하게 받아들일진대, 고대 신화와 현대 시가 역사로서는 말짱 틀렸어도 예언으로서는 진리에 무척 가깝다고 볼 수 있다. 장차 하나님이 우리에게 샛별을 **주시고** 태양의 광채를 **입히실** 것을 믿는다면 말이다. 다만 지금은 우리가 그 세계의 바깥에 있고 문의 이편에 있다.

싱그럽고 깨끗한 아침을 느끼면서도 우리까지 싱그럽고 깨끗해지지는 않고, 광채를 보면서도 거기에 섞여 들 수는 없다. 그러나 영영 그렇지는 않으리라는 소문이 신약의 모든 책장마다 수런거린다. 하나님이 허락하시면 장차 우리도 그 **안에** 들어간다. 부지중에 온전히 순종하는 무생물처럼 인간의 자발적 순종도 온전해질 그날, 우리는 영광을 덧입는다. 자연은 그 완성된 영광의 밑그림에 불과하다.

내 말을 인간이 자연 속에 흡수된다는 이교의 몽상으로 오해해서는 안 된다. 자연은 없어지지만 우리는 길이 산다. 모든 항성과 성운이 사라진 후에도 우리의 삶은 계속된다. 자연은 표상이요 상징일 뿐이로되 성경은 우리에게 이 상징을 활용하라고 권한다. 자연을 지나고 넘어서, 자연에 희미하게 반사된 그 광채 속으로 들어오라고 우리를 부른다.

자연 너머 바로 거기서 장차 우리는 생명나무 열매를 먹는다. 그리스도 안에서 거듭난 경우, 현재는 영혼이야 직접 하나님을 의지하여 살아가지만, 정신과 특히 육신이 그분께 받는 생명은 조상과 음식과 순리 등 수많은 단계를 거쳐서 온다. 세상을 창조하실 때 하나님은 물질 속에 즐거이 각종 에너지를 넣어 두셨는데, 그런 동력원의 멀고 희미한 산물이 흔히들 말하는 물리적 즐거움이다. 그렇게 걸러져서 오는데도 현세에 다 감당하기에 너무 벅차다.

이처럼 하류에서도 우리를 도취시키는 영광의 강물을 수원지에서 마시면 얼마나 더하겠는가? 바로 그것이 우리의 미래다. 그날에는 전인全人이 기쁨의 샘에서 기쁨을 마신다. 성 아우구스티누스의 말마따나 구원받은 영혼의 희열은 영화로워진 몸속으로까지 "흘러넘친다." 현재 우리의 타락한 이분법적 성향으로는 이런 물밀 듯한 즐거움을 상상할 수 없으며, 모두에게 아주 엄중히 경고하건대 상상하려 해서도 안 된다. 단, 언급은 필요하다. 그래야 그나마 더 잘못된 생각(영혼만 구원받는다거나 부활한 몸이 멍한 무감각 상태로 살아간다는 생각)을 몰아낼 수 있다. 몸도 주님을 위해 지어졌기에 이런 암울한 공상은 얼토당토않다.

그때까지는 면류관 이전에 십자가가 있고, 또 내일은 다시 월요일이다. 이 각박한 세상의 담벼락에 틈새가 벌어졌고, 위대한 대장께서 안으로 따라오라고 우리를 부르신다. 물론 그분을 따르는 것이 핵심이다. 그렇다면 여태 살펴본 내용은 실제로 무슨 유익이 있는지 의아해질 수 있다. 적어도 한 가지 유익은 떠오른다. 이제부터 누구든지 본인의 잠재적 영광에 대해서는 생각이 너무 과해서는 안 되지만, 이웃의 영광에 대해서는 아무리 자주 또는 깊이 생각해도 지나치지 않다. 사람마다 자신의 등에 이웃의 영광의 무게를 지거나 그 하중을 견뎌야 한다. 그 짐은 너무 무거워서 겸손해야만 질 수 있고, 교만한 사람은 등골이 부러진다.

누구나 신이 될 수 있는 사회에 산다는 것은 심각한 일이다. 잊지 말아야 한다. 당신이 만난 가장 둔하고 가장 재미없는 사람이 언젠가 강한 숭배 욕구를 불러일으키는 인물로 변할 수도 있고, 반대로 행여 악몽 속에나 나타나는 끔찍한 악한惡漢이 될 수도 있다. 온종일 우리는 어느 정도 서로를 그 둘 중 한쪽으로 떠민다. 이런 엄청난 가능성을 염두에 두고 우리는 그만큼 경건하고 신중하게 서로를 대하며 모든 우정과 사랑과 놀이와 정치에 임해야 한다. **보통 사람**이란 없다.

당신은 한낱 유한한 인간과 대화한 적이 한 번도 없다. 국가와 문화와 예술과 문명은 다 끝이 있으며, 그것들의 삶은 우리 삶에 비하면 하루살이에 지나지 않는다. 그러나 우리가 함께 농담을 주고받고 일하고 결혼하고 구박하고 착취하는 사람은 불멸의 존재다. 불멸의 악한이거나 영원한 성자다. 그렇다고 늘 엄숙해야 한다는 말은 아니고 놀 줄도 알아야 한다. 다만 우리의 유쾌함은 처음부터 서로를 진지하게 대해 온 사람들 사이에만 가능한 것이라야 한다(실제로 그래야 가장 유쾌하다). 즉 경박하거나 우월감을 품거나 주제넘어서는 안 된다.

우리의 사랑도 죄인을 사랑하되 죄는 심히 미워하는 진정한 희생적 사랑이라야 한다. 유쾌함을 경박함으로 전락시킬 수 없듯이 사랑도 한낱 묵인이나 방임으로 변질시켜서는 안 된다. 복된 성찬 다음으로 이웃이야말로 당신이 오감으로 접하는 가장 거룩한 대상이다. 그 이웃이 그리스도인이라면 거의 성찬만큼이나 거룩하다. 그 사람 안에도 그리스도께서 참으로 숨어 계시기 때문이다. 영광 자체이자 영화로워지신 그분이 참으로 숨어 계시며 우리를 영화롭게 하신다.

《영광의 무게 *The Weight of Glory*》, "영광의 무게"

과학과 지식의 발전이 기독교의 불변성을 위협하는가?

지식이 진정으로 발전한 곳마다 대체 불가한 지식이 존재한다. 실제로 발전이 가능하려면 거기에는 불변의 요소가 있어야만 한다. 새 포도주를 새 부대에 넣는 일이야 얼마든지 좋지만 미각과 식도와 위장까지 바뀌지는 않는다. 그렇지 않으면 아예 "포도주"로 느껴지지 않는다.

누구나 동의하겠지만 단순한 수학 공식도 이런 불변의 요소다. 여기에 나는 도덕의 기본 원리를 더하고 싶다. 나아가 기독교의 근본 교리도 포함시키겠다. 더 구체적으로 말해서, 역사상 기독교의 모든 적극적 진술에는 (다른 분야의 공식 원리에서 주로 볼 수 있듯이) 점증하는 지식에 따라 점점 복잡해지는 의미를 수용하고도 본질만은 변하지 않을 능력이 있다.

예를 들어 니케아신경에 "그분은 하늘에서 내려오시어"라는 문구를 넣을 때 당시 작성자들은 낙하산처럼 공간적 하늘에서 지면으로 하강하는 물리적 위치의 이동을 생각했을 수 있다(내 생각에, 전혀 그랬을 것 같지는 않지만). 그리고 그 뒤로 다른 이들은 공간적 하늘의 개념을 완전히 버렸을 수 있다. 하지만 그렇게 바뀌었어도 이 고백 자체의 의의와 진실성은 전혀 손상되지 않는다. 양쪽 견해 모두에서 그 사건은 기적이며, 양쪽 견해 모두에서 고백에 수반되는 심상心象은 본질이 아니다.

학교를 다닌 적이 없는 한 회심자와 할리스트리트(런던 중심부에 있는 일류 의사들이 모인 병원 밀집 지역-편집자)의 고학력 전문의가 둘 다 그리스도의 부활을 인정하고 고백할 경우, 당연히 둘의 사고는 아주 큰 차이를 보인다. 전자에게는 시체가 일어난다는 단순한 묘사로 충분하지만, 후자는 생화학 및 물리 작용의 역행 과정을 전부 되짚을지도 모른다. 의사는 그런 역행이 발생한 적이 없음을 경험으로 알지만, 시체가 일어나 걸을 수 없다는 거야 무학의 회심자도 안다. 둘 다 부활이 기적임을 안다는 말이다.

두 사람 다 기적이 불가능하다고 생각할 경우, 차이라면 의사 쪽이 그 불가능성을 훨씬 자세히 설명한다는 것뿐이다. 즉 시신은 거동하지 못한다는 단순한 진술에 복잡하게 살을 입히는 것이다. 반대로 두 사람 다 기적을 믿을 경우, 의사가 하는 모든 발언은 "그분이 부활하셨다"라는 말을 분석하고 해설한 것에 불과하다.

창세기 기자는 하나님이 그분의 형상대로 인간을 지으셨다고 기록할 때, 아이가 점토로 인형을 빚듯이 그렇게 인간을 빚으시는 막연한 유형有形의 신을 상상했을지도 모른다. 반면에 현대 그리스도인 철학자는 물질이 처음 창조되던 순간부터 마침내 지구상에 육신만 아니라 영혼의 생명을 받기에 적합한 유기체가 출현할 때까지의 과정을 숙고할 수 있다. 그러나 양쪽 다 본질적 의미는 똑같다. 양쪽 다 배격하는 이론도 똑같다. 즉 물질이 그 자체에 내재하는 미지의 능력으로 영혼을 낳았다는 주장을 배격한다.

그렇다면 신자들의 신앙 고백이, 겉으로 드러나는 표현은 같아도 신자들의 다양한 교육 수준에 따라 그 속에 담은 뜻은 저마다 전혀 다르다는 것일까? 천만의 말이다. 견해가 일치하는 부분이 본질이고 차이를 보이는 부분은 그림자이기 때문이다. 한 사람이 상상하는 하나님은 평평한 지구 위에 있는 공간적 하늘에 앉아 계시는데, 다른 사람은 알프레드 노스 화이트헤드[1] 교수의 철학적 관점에서 하나님과 창조세계를 본다고 하자. 이 차이야말로 중요하지 않은 부분에 해당한다. 내 말이 과장처럼 들릴지 모르지만 과연 그럴까?

물리적 실재와 관련하여, 이제 우리는 수학을 제외하고는 우리가 실재에 관해 아는 것이 없다는 결론 쪽으로 떠밀

리고 있다. 첫 계산기였던 모래와 자갈, 데모크리토스가 상상한 원자, 일반인들이 생각하는 우주관 등은 알고 보면 다 그림자다. 숫자만이 지식의 본질이며 사고와 사물의 유일한 연결 고리다. 자연의 실체는 우리를 따돌린다. 순진한 눈으로 보면 명백해 보이는 자연의 요소도 알고 보면 극도의 환영幻影이다. 영적 실재를 아는 지식도 이와 비슷하다. 하나님의 실체가 무엇이며 그분을 어떻게 철학해야 하는지는 늘 우리의 지식 밖으로 달아난다.

종교에 수반되는 여러 복잡한 세계관도 그것들이 지속되는 기간에는 저마다 아주 탄탄해 보이지만, 알고 보면 그림자에 불과하다. 장기적으로 실재에 이르는 유일한 길은 신앙 자체 즉 기도와 성례와 회개와 경배다. 수학처럼 신앙도 안에서부터 자라지 못하면 쇠퇴한다. 이교도보다 유대교인이 많이 알고, 유대교인보다 그리스도인이 많이 알며, 현대의 막연한 종교인은 그 셋보다 아는 것이 적다. 그러나 신앙은 수학과 마찬가지로 단순히 그 자체로 남아 능히 모든 새로운 물리 우주론에 적용되면서도 그중 무엇보다도 시대에 뒤지지 않는다.

누구든지 하나님의 임재 안에 들어오면 원하든 원치

않든 깨닫는 사실이 있다. 그를 다른 시대 사람들이나 심지어 이전의 자신과 그토록 달라 보이게 했던 모든 요소가 이미 떨어져 나갔다는 것이다. 그는 자신이 늘 있던 자리요, 모든 사람이 늘 있는 자리로 돌아왔다. 모든 것은 늘 똑같다.[2]

스스로 속아서는 안 된다. 우리가 우주관을 아무리 복잡하게 만들어도 그 속에 숨어 하나님을 피할 수는 없다. 우리를 가려 줄 만큼 빽빽한 잡목림이나 숲이나 밀림은 없다.

요한계시록에 보면 보좌에 앉으신 이를 가리켜 말하기를 '땅과 하늘이 그 앞에서 피하여 간 데 없다'고 했다(계 20:11). 우리 가운데 누구에게나 당장이라도 벌어질 수 있는 일이다. 우리와 하나님을 갈라놓는 듯한 모든 것은 도저히 가늠할 수 없는 찰나에 어디서고 그분을 피해 자취를 감출 수 있다. 그러면 우리는 최초의 인간처럼 그분 앞에 벌거숭이로 남는다. 마치 그분과 나 말고는 아무것도 존재하지 않는 유일한 인간처럼 말이다.

최고의 복 아니면 최악의 공포로 다가올 그 대면을 무한정 피할 수는 없기에, 인생에서 우리가 이루어야 할 큰일은 이 만남이 좋아지도록 미리 준비하는 것이다. 그것이 크고 첫째 되는 계명이다.

《피고석의 하나님 *God in the Dock*》, "교리와 우주"

아직 사랑하지 않는데도
사랑하듯 행동하면
위선인가?

말뜻만으로 보자면, "채러티"charity(자비)는 이제 순전히 이전의 "구제"와 같아졌다. 즉 가난한 사람에게 베푼다는 뜻이다. 본래는 의미 폭이 훨씬 넓었다. (현재의 의미로 바뀐 경위를 알 만하다. "자비로운" 사람이 하는 행위 가운데 가장 눈에 띄는 것이 빈민 구제다 보니 흔히들 마치 그게 자비의 전부인 양 말하게 되었다. 마찬가지로 시의 가장 눈에 띄는 특성이 "각운"이다 보니 흔히들 각운만 맞추면 "시"인 줄로 안다.) 자비란 "기독교적 의미의 사랑"을 뜻한다. 그런데 기독교적 의미의 사랑은 감정이 아니다. 기분이 아니라 의지의 상태다. 누구나 본인을 향해서는 그런 의지가 본능적으로 있으나 타인을 대할 때는 이를 학습해야 한다.

앞서 용서를 다룬 단락에서 밝혔듯이, 자기애self-love란 자신을 좋아하는 것이 아니라 자신을 잘되게 한다는 뜻이다. 마찬가지로 이웃을 향한 기독교적 사랑(자비)도 호감이나 정情과는 사뭇 다르다. 누구나 자신이 "좋아하는" 사람도 있고 그렇지 않은 사람도 있다. 중요한 것은 이런 자연스러운 "호감"이 죄도 아니고 덕도 아니라는 점이다. 어떤 음식을 좋아하거나 싫어하는 것이 죄나 덕이 아닌 것과 마찬가지다. 거기까지는 그냥 사실일 뿐이다. 그러나 물론 호감을 어떻게 처리하느냐에 따라 죄도 되고 덕도 된다.

자연스러운 호감이나 정이 있으면 상대를 "사랑하기가" 더 쉬워진다. 그래서 평소 정을 가꾸는 것이(최대한 사람을 "좋아하는" 것이) 인간의 도리다(흔히 운동이나 건강식에 대한 호감을 키워야 하듯이 말이다). 호감 자체가 사랑의 덕이어서가 아니라 사랑에 도움이 되기 때문이다.

반면에 특정인에 대한 호감 때문에 다른 사람에게 인색하거나 부당해지지 않도록 늘 예의주시할 필요도 있다. 심지어 같은 대상을 향한 호감과 사랑이 서로 충돌하는 경우도 있다. 예를 들어 모성애가 빗나가면 자녀를 "응석받이"로 만들 수 있다. 어머니가 자신의 욕구인 정을 채우느라 훗날 자녀가 누려야 할 진정한 행복을 무너뜨리는 것이다.

그러나 평소에 자연스러운 호감을 키워야 한다 해서 가만히 앉아 정감情感을 짜내는 것이 사랑의 길이라 생각한다면 그 또한 큰 오산이다. 어떤 사람은 기질상 "차갑다." 그게 불운일 수는 있으나 소화 불량이 죄가 아니듯 기질도 죄는 아니며, 기질 때문에 사랑을 배울 기회를 잃거나 배울 의무를 면제받지도 못한다.

만인 공통의 법칙은 지극히 단순하다. 자신이 이웃을 "사랑하는지" 안 하는지 신경 쓰느라 시간을 허비할 것이 아니라 이미 사랑하듯 행동하라. 마치 사랑하듯 행동하면 정말 금세 사랑하게 된다. 싫어하는 대상에게 상처를 입히면 그 사람이 더 싫어지지만, 친절하게 대하면 어느새 그가 덜 싫어진다.

물론 예외가 하나 있다. 친절을 베풀되 하나님을 기쁘시게 하고 사랑의 법에 순종하기 위해서가 아니라, 자신이 얼마나 훌륭하고 너그러운 사람인지를 보여서 상대에게 부채감을 준 다음 태연히 그의 "감사"를 기다린다면, 반드시 실망할 것이다(사람들은 바보가 아니라서 과시나 생색을 금방 알아차린다). 그러나 상대방이 (자신처럼) 하나님께 지음받은 인간이라는 이유만으로 상대에게 선을 행하며 자신의 행복을 바라듯 그의 행복을 바라면, 그때마다 상대를 좀 더 사랑하게 된다. 아니면 적어도 덜 싫어하게 된다.

그래서 기독교적 사랑은 비록 머릿속이 감상으로 가득한 이들에게는 아주 차갑게 들리고 또 정과도 사뭇 다르지만, 그래도 정으로 이어진다. 그리스도인과 세상 사람의 차이는 세상 사람에게는 정이나 "호감"만 있고 그리스도인에게는 "사랑"만 있는 것이 아니다. 세상 사람이 특정인을 친절하게 대하는 이유는 그를 "좋아하기" 때문이다. 그러나 누구에게나 힘써 친절을 베푸는 그리스도인은 갈수록 더 많은 사람이 좋아진다. 처음에는 좋아질 줄로 상상도 못했던 이들까지도 말이다.

이 영적 법칙은 안타깝게도 역방향으로도 작용한다. 독일인은 아마 처음에는 유태인이 미워서 학대했겠지만 나중에는 학대했기 때문에 훨씬 더 미워했다. 잔인한 사람일수록 미움도 커지고, 또 남을 미워할수록 더 잔인해진다. 그렇게 끝없이 악순환으로 치닫는다.

선과 악은 둘 다 복리로 불어난다. 그래서 당신과 내가 날마다 내리는 작은 결정이 한없이 중요하다. 오늘의 소소한 선행으로 적의 전략적 거점을 점령해, 거기서 당신은 몇 달 후면 여태 꿈꾸지 못했던 승리를 향해 진격할 수 있다. 반면에 오늘 사소해 보이는 정욕이나 분노에 빠지면 능선이나 철도나 교두보를 잃어, 거기서 적이 다른 수로는 불가능했을 공격을 개시할 수 있다.

어떤 작가들은 자비charity라는 단어를 사람 사이의 기독교적 사랑에만 아니라 하나님과 인간 사이의 사랑에도 쓴

선과 악은 둘 다 복리로 불어난다.
그래서 당신과 내가 날마다 내리는
작은 결정이 한없이 중요하다.
오늘의 소소한 선행으로
적의 전략적 거점을 점령해,
거기서 당신은 몇 달 후면 여태 꿈꾸지 못했던
승리를 향해 진격할 수 있다.
반면에 오늘 사소해 보이는 정욕이나 분노에 빠지면
능선이나 철도나 교두보를 잃어,
거기서 적이 다른 수로는 불가능했을
공격을 개시할 수 있다.

다. 후자의 경우 흔히들 걱정이 많다. 하나님을 사랑해야 한다는데 자기 속에 그런 감정이 전혀 없으니 말이다. 어찌할 것인가? 답은 위와 똑같다. 가만히 앉아 느낌을 짜내려 하지 말고 이미 사랑하듯 행동하라. "내가 하나님을 확실히 사랑한다면 어떻게 하고 있을까?"라고 자문한 뒤 답이 나오는 대로 가서 행하라.

대체로 '우리를 향한 하나님의 사랑'이 '그분을 향한 우리의 사랑'보다 사고하기에 훨씬 확실한 주제다. 아무도 경건한 감정을 항시 품을 수는 없으며, 설령 그럴 수 있다 해도 하나님의 주요 관심사는 우리의 감정이 아니다. 대상이 하나님이든 사람이든 기독교적 사랑은 의지(뜻)의 문제다. 힘써 그분의 뜻을 행한다면 우리는 "주 너의 하나님을 사랑하라" 하신 계명에 순종하는 것이다. 사랑의 감정은 그분이 원하시면 주시는 것이지 우리가 지어낼 수는 없고, 권리로 요구해서도 안 된다.

그러나 기억해야 할 놀라운 사실이 있다. 우리의 감정은 있다가도 없어지지만 우리를 향한 그분의 사랑은 그렇지 않다. 그분의 사랑은 우리가 저지르는 죄나 우리의 냉담함에도 지칠 줄 모르며, 그래서 우리나 그분 자신께 어떤 대가가 따르더라도 죄를 반드시 퇴치하시려는 뜻도 절대 변함이 없으시다.

《순전한 기독교 *Mere Christianity*》, 3장 중 "사랑"

교회,
개인주의와 집단주의의
이분법에 빠지지 않으려면?

종교를 "사람이 혼자 있을 때 하는 일"로 정의한 경구에는 그리스도인만 아니라 어떤 역사가도 수긍할 수 없다. 웨슬리 형제 가운데 한 사람이 한 말 같은데, 신약에 단독 신앙이란 없다. 오히려 반대로, 모이기를 폐하지 말라는 말씀은 있다. 가장 초기 문헌을 보아도 기독교는 이미 단체였다. 교회는 그리스도의 신부이며 우리는 서로 지체다.

우리 시대에 종교가 사생활에 속한다는(결국 여가 시간에 하는 개인 활동이라는) 개념은 모순이면서 위험하고도 자연스럽다. 모순이라 함은 다른 모든 분야에서 집단주의가 개인을 무참히 짓밟는 이 시대에 유독 종교 분야에 한해서만 개인을 떠받들기 때문이다.

이런 현상을 대학에서도 볼 수 있다. 내가 옥스퍼드대학에 처음 가던 때만 해도 학부의 전형적 동아리는 여남은 명의 학생으로 이루어졌고, 서로를 속속들이 아는 그들이 작은 거실에서 회원의 논문을 들으며 새벽 한두 시까지 문제점을 풀어 가곤 했다. 그런데 전쟁 전부터 학생 100-200명이 잡다한 청중으로 강당에 모여 유명 강사의 강연을 듣는 것이 학부 동아리의 전형이 되었다. 드물게 그런 동아리에 속하지 않은 경우에도, 요즘의 학부생이 혼자서나 친구와

단둘이 산책하는 일은 좀처럼 드물다. 선배 세대들에게는 그런 산책이 지성을 살찌우는 시간이었음은 물론이다.

집회가 우정을 몰아낸 지금은 군중의 시대다. 대학 안팎에 이런 경향이 존재할 뿐 아니라 대개 좋게 평가받는다. 수많은 자칭 인생 설계사가 주제넘게 나서서 그나마 남아 있는 고독조차 씨를 말리려 온 힘을 다한다. 그들은 이를 "청년의 자아 탈출"이니 "각성"이니 "냉소의 극복" 따위로 포장한다. 아우구스티누스나 헨리 본이나 토머스 트러헌이나 워즈워스가 현대 세계에 태어난다면, 청년 단체 지도자들이 얼른 그들을 "바로잡아" 줄 것이다.

오늘날 정말 좋은 가정(《오디세이아》의 알키노오스와 아레테 가정, 《전쟁과 평화》의 로스토프 가정, 샬럿 M. 영 작품 속의 웬만한 가정 등)이 존재한다면, **부르주아**라는 비난 속에 온갖 집중 포화를 면치 못할 것이다. 설령 그런 설계사들의 노력이 실패해 누군가 물리적으로 혼자 남는다 해도, 라디오는 기어이 인간을(스키피오가 말한 본래 의도와는 달리) 혼자 있을 때 못지않게 심리적으로 외롭게 한다. 우리가 살고 있는 이 세상은 참으로 고독과 침묵과 프라이버시에 굶주려 있고, 따라서 묵상과 참된 우정에도 굶주려 있다.

이 시대에 종교를 사적 영역으로 몰아내야 한다는 개념은 이렇듯 모순이다. 아울러 두 가지 이유에서 위험하기도 하다.

첫째로, 현대 세계는 우리에게 "신앙생활일랑 너 혼자 하라"라고 큰소리치면서 속으로는 "내가 너를 결코 혼자 두지 않겠다"라고 토를 단다. 사생활이라면서 한편으로 이렇게 모든 개인적 자유를 막으면 기독교는 뜬구름 잡기나 허상을 추구하는 종교로 전락하고 만다. 이것이 원수의 계략이다.

둘째로, 기독교가 홀로 하는 일이 아님을 아는 진정한 그리스도인들은 이 오류에 대한 반작용으로 집단주의를 무조건 영적 삶에 들여놓을 위험이 있다. 일반 세상을 이미 점령한 바로 그 집단주의를 말이다. 이 또한 원수의 계략이다. 체스의 고수처럼 원수는 늘 우리를 비숍이라는 말을 잃지 않고는 성城을 구할 수 없는 궁지로 몰아간다.

이 덫을 피하려면 우리가 강조해야 할 점이 있다. 기독교를 한낱 개인적인 일로 보는 개념은 비록 오류이긴 하지만 심히 자연스러운 오류이며, 서투르게나마 한 위대한 진리를 수호하려는 시도다. 그 배후에 명백히 깔려 있는 정서는 곧 현대의 집단주의가 인간성을 짓밟는 폭력이며, 하나님이 방패와 갑옷이 되어 다른 모든 악에서처럼 이 악에서도 우리를 지키신다는 것이다.

이 정서는 공정하다. 개인의 사생활이 그리스도의 몸에 참여하는 삶보다 낮은 차원이듯이, 집단생활은 개인의 사생활보다 낮은 차원이며 몇몇 쓰임새 외에는 무가치하다. 세속 공동체는 초자연적 유익이 아닌 자연적 유익을 위해 존재하므로 가정과 우정과 고독을 키우고 지키는 것이 최고 목표다. 그래서 새뮤얼 존슨은 가정의 행복이 인간의 모든 수고의 종착지라 했다.

자연적 가치만 놓고 보자면 해 아래서 가장 좋은 것은 밥상머리에 웃음꽃이 피는 가정, 음료 한잔하며 대화하는 두 친구, 홀로 관심 분야의 책을 읽는 개인이다. 그런 풍경을 더 지속시키고 늘리지 않는 한 모든 경제와 정치와 법률과 군대와 제도도 부질없는 헛수고에 불과하며, 모두 다 헛되어 바람을 잡으려는 것이다. 물론 집단 활동도 필요하지만 그 또한 바로 그 목표를 위해서다.

이런 사사로운 행복을 누리는 이들은 자신을 크게 희생시켜서라도 그 행복을 더 널리 퍼뜨려야 할 수도 있다. 아무도 굶주리지 않으려면 모두가 조금씩 배고파야 할 수도 있다. 그러나 필요악을 선과 혼동해서는 안 된다. 이런 혼동이 쉽게 발생한다. 과일을 멀리 운송하려면 통조림으로 가공해야 하므로 품질이 다소 떨어질 수밖에 없다. 그런데 신선한 과일보다 통조림 맛에 더 길들여진 이들이 있다.

병든 사람이 자꾸 소화에 신경 쓰듯이 병든 사회일수록 정치에 대한 걱정이 많아진다. 물론 둘 중 어느 쪽이든 비겁하게 해당 주제를 무시하다가는 치명적 결과를 부를 수 있다. 그러나 소화나 정치를 사고의 주식主食으로 여긴다면(우리가 그런 생각을 하는 것이 다른 생각을 하기 위해서라는 것을 망각한다면) 건강을 위한 일이 오히려 새로운 죽을병으로 변한다.

실제로 인간의 모든 활동에는 수단이 본래 취지를 벗어나 목표를 잠식한다는 폐단이 있다. 그래서 돈 때문에 물자가 돌지 못하고, 예술의 원칙 때문에 천재성이 꺾이고, 시험 때문에 젊은이들이 학식에 이르지 못한다.

안타깝게도 그렇다고 매번 수단을 없앨 수만도 없다. 집단주의는 우리 삶에 필요하고 앞으로 더 늘어날 것이다. 집단주의의 치명적 특성을 퇴치할 방책은 그리스도인의 삶에만 있다. 우리는 뱀을 만지고 독을 마셔도 죽지 않으리라 약속받았기 때문이다.

서두에 말했던 종교의 잘못된 정의도 이런 맥락에서 보면 일리가 있다. 다만 집단적 대중에 달랑 홀로 맞선다는 점에서 틀렸다. 물론 거기까지는 견해 차이가 있을 수 있다. 그리스도인은 개인주의가 아닌 신비한 몸의 지체로 부름받았다. 그러므로 우리는 기독교가 개인주의로 흐르지 않으면서도 집단주의에 맞설 수 있는 방법을 이해하려면, 우선 '세속 집단'과 '신비한 몸'의 차이부터 살펴보아야 한다.

그런데 시작부터 난해한 용어가 우리를 가로막는다. **지체**라는 단어 "멤버십"membership은 기독교에서 기원했으나 세상으로 넘어가 의미를 다 잃었다. 논리학 책에 으레 나오는 "집합의 원소members"라는 표현이 있다. 동질 집합에 포함된 항목 내지 개체는 사도 바울이 말한 "**지체**"members의 의미와는 거의 정반대다. 그가 쓴 헬라어 단어는 신체 기관에 해당한다. 즉 서로 본질상 다르면서도 보완 관계이며, 구조와 기능만 아니라 비중까지도 다르다. 따라서 클럽의 경우, 위원회 전체와 임원단 전체는 (그 기능상) 의당 "멤버"로 간주될 수 있으나 소위 클럽 멤버들은 (다 똑같은) 하나의 구성단위에 불과하다.

제복 차림으로 대열을 이루어 똑같이 훈련받는 군인이나 선거구에 유권자로 등록된 다수의 시민은 바울이 말한 의미로는 그 무엇의 지체도 아니다. 애석하게도 우리가 사람을 "교회의 지체"라 칭할 때도 대개는 바울이 말한 의미가 아니라 구성단위에 불과하다. 즉 X와 Y와 Z처럼 모종의 집단에 속한 많은 표본 가운데 하나다.

몸의 진짜 지체와 집단의 개체가 어떻게 다른지는 가정의 구조에서 볼 수 있다. 할아버지와 부모와 장성한 아들과 아이와 개와 고양이는 (유기체의 의미에서) 진짜 지체이며, 그 이유는 바로 그들이 동질 집합의 원소 내지 구성요소가 아니기 때문이다. 모두가 대체 불가한 존재이며 사람마다 별도의 종에 가깝다. 어머니는 딸과 다른 정도가 아니라 아예 종류가 다르다. 장성한 형은 단지 자녀라는 집합의 한 구성요소가 아니라 별개의 범주다. 아버지와 할아버지는 거의 고양이와 개만큼이나 다르다. 여기서 한 지체라도 빠지면 단지 식구 수가 줄어드는 것이 아니라 가정의 구조가 깨진다. 가정의 연합이란 거의 공약수가 없다시피 한 다양성의 연합이다.

이런 연합이 가지는 고유의 풍요로움을 희미하게나마 알기에 우리는 《버드나무에 부는 바람》(케네스 그레이엄의 아동 소설-옮긴이) 같은 책을 좋아한다. 그 책에 등장하는 물쥐와 두더지와 오소리 삼총사가 보여 주는 삶은 극과 극으로 다른 인격체들이 조화로운 화합을 이루는 모습을 상징한다. 그런 화합이 외로움과 집단주의 둘 다에서 벗어나는 참된 피난처임을 우리는 본능적으로 안다. 딕 스위블러와 후작 부인 또는 픽윅과 샘 웰러처럼 궁합이 맞지 않는 부부들 사이의 애정도 똑같이 우리를 흐뭇하게 한다(각각 찰스 디킨스의 《오래된 골동품 상점》과 《픽윅 보고서》에 등장하는 인물들이다-옮긴이).

죄수를 부를 때는 이름 대신 번호로 부른다. 집단 개념이 극에 달한 경우다. 그런데 일반 남자도 자기 집에서 이름을 잃을 수 있다. 그냥 "아버지"로 불리기 때문인데, 이 경우는 몸에 속한 지체라서 그렇다. 이름을 상실하는 이 두 사례를 보면 알 수 있듯이 소외에서 벗어나는 데는 두 가지 상반된 길이 있다.

그리스도인이 세례를 통해 부름받아 속하는 모임은 집단이 아니라 "몸"이다. 사실 가정은 그 몸에 대한 자연적 차원의 은유일 뿐이다. 이 몸에 나아올 때 교회 지체를 격이 낮은 현대적 의미의 멤버십으로(사람을 동전이나 게임용 칩처럼 무더기로 모아 놓은 상태로) 오해하는 사람이 있다면, 그의 생각을 바로잡아 줄 사실이 있다.

이 몸의 머리이신 분은 하위 지체들과는 워낙 달라서 은유가 아니고는 어떤 서술어도 양쪽에 함께 쓸 수 없다. 처음부터 우리에게 명해진 연합은 피조물과 창조주, 필멸과 불멸, 구원받은 죄인과 죄 없는 구원자의 연합이다. 이 몸 안에 살아갈 때는 그분의 임재 즉 그분과의 교류가 늘 압도적 지배 요소가 되어야 한다. 그리스도인의 교제라는 개념이 일차적으로 그분과의 교제를 뜻하지 않는다면 일고의 가치도 없다. 기능의 다양성을 더 추적하는 일은 차후 문제이며 성령의 연합에 비하면 차라리 사소해 보인다. 그래도 다양성은 엄연히 존재한다. 성직자와 평신도가 다르고 입교 지망자와 정식 교인이 다르다. 남편과 부모는 각각 아내와 자녀에 대하여 권위가 있다.

워낙 세미해서 일일이 꼭 집어 말하기는 어렵지만 상호 보완의 섬김이 끊임없이 오간다. 우리 모두는 늘 가르치고 배우고, 용서하고 용서받는다. 그리스도의 입장에서 다른 사람을 위해 중보하기도 하고, 그분 앞에 선 인간의 입장에서 다른 사람의 중보 기도를 받기도 한다. 날마다 우리에게 요구되는 대로 이기적 삶을 희생하면, 날마다 백배의 보상으로 개성이 자라난다. 이 한 몸 된 삶은 각자의 개성을 장려한다. 서로의 지체가 되면 손과 귀만큼이나 각기 달라진다. 그래서 성도의 거의 환상적인 다양성에 비하면 세상 사람들은 단조로우리만치 천편일률이다.

자유에 이르는 길은 순종이고, 즐거움에 이르는 길은 겸손이며, 개성에 이르는 길은 연합이다.

이제부터 하려는 말은 자칫 모순처럼 보일 수 있다. 당신도 자주 들어 보았겠지만, 우리의 지위가 세상에서는 달라도 하나님이 보시기에는 다 평등하다는 격언이 있다. 물론 어떤 의미에서는 맞는 말이다. 하나님은 사람을 차별하지 않으시며, 그분의 사랑은 우리가 사회적으로 어떤 계층에 속해 있는지 지적 재능이 어떠한지에 따라 달라지지 않는다. 그러나 이 격언에는 진리와 정반대되는 의미도 있다. 감히 말하는데, 인위적 평등은 국가의 삶에나 필요하지 교회에서는 벗어야 할 가면이다. 오히려 그리스도인은 진정한 불평등을 회복해 새 힘을 얻고 소생한다.

정치적 평등이야 나도 지지한다. 그러나 흔히들 민주주의자가 되는 데는 두 가지 상반된 이유가 있다. 하나는 모든 인간이 워낙 선해서 국가 통치에 참여할 자격이 있고, 또 워낙 현명해서 국가에 그들의 조언이 필요하다고 보는 입장이다. 이는 허황하고 비현실적인 민주주의 이론이다. 반면에 타락한 인류는 너무 악하기 때문에 아무에게도 다른 인간을 다스릴 절대 권력을 맡길 수 없다고 보는 입장도 있다.

나는 바로 후자가 민주주의의 진정한 근거라고 생각한다. 나는 하나님이 평등주의 세상을 창조하셨다고 믿지 않는다. 오히려 인간이 동물에게 가지는 권위만큼이나 자녀와 아내와 무지한 자에 대한 부모와 남편과 식자의 권위도 그분의 원안이었다고 믿는다. 인류가 타락하지 않았다면 로버트 필머의 말마따나 가부장적 군주제가 유일한 합법적 통치 형태가 되었을 것이다. 그런데 우리가 죄에 눈뜨고 나서 보니 "모든 권력은 부패하고 절대 권력은 절대 부패한다"라는 액튼 경의 말이 옳았다. 그래서 인류는 권력을 빼앗고는 평등이라는 법적 허구로 그 자리를 대체하는 해법을 선택했다.

법적 차원에서 아버지와 남편의 권위가 폐지된 것은 옳다. 그 권위 자체가 나빠서가 아니라(오히려 나는 그것이 하나님에게서 기원했다고 본다) 나쁜 아버지와 못된 남편이 너무 많기 때문이다. 신정神政이 폐지된 것도 정당하다. 식견을 갖춘 성직자가 무지한 평신도를 다스리는 일이 잘못이어서가 아니라 성직자도 나머지 사람들과 마찬가지로 악한 인간이기 때문이다. 심지어 그동안 동물에 대한 인간의 권위조차도 끊임없이 남용되어 온 탓에 제재가 필요했다.

내게 평등이란 옷과도 같다. 둘 다 타락의 결과이자 타락에 대한 대응책이다. 평등주의에 이를 수밖에 없었던 과정을 거꾸로 되돌려 정치적 차원에서 예전의 각종 권위로 회귀하려 한다면, 이는 옷을 다 벗는 것만큼이나 어리석은 일이다. 나치당과 나체주의는 똑같은 과오를 범한다. 그러나 정말 살아 있는 것은 우리의 옷 안에 그대로 있는 맨몸이며, 우리의 진정한 관심사는 평등한 시민이라는 가면 속에 여전히 살아서 (아주 정당하게) 숨어 있는 위계의 세상이다.

내 말을 오해해서는 안 된다. 평등주의가 허구이긴 해도 나는 그 가치를 조금도 가볍게 여기지 않는다. 그나마 서로의 학대를 막으려면 그 길밖에 없다. 성년 남성의 선거권이나 기혼여성재산법을 폐지하자는 제안이라면 나는 절대 반대다. 그러나 평등의 순기능은 온전한 보호다. 평등은 삼시 세끼 꼭 먹어야 하는 음식이 아니라 필요한 때만 먹으면 되는 약이다. 모든 인간을 (객관적 사실에 어긋나지만 그래도 현명하게) 똑같은 부류인 양 대하면, 수많은 악을 예방할 수 있다. 하지만 우리는 평등을 먹고살도록 지음받지 않았다.

인간의 가치가 평등하다는 말은 공허하다. 가치를 세상적 의미로 본다면(모든 사람이 평등하게 유용하거나 아름답거나 선하거나 재미있다는 뜻이라면) 어차피 이는 허튼소리다. 반대로 모든 사람의 가치가 불멸의 영혼으로서 평등하다는 뜻이라면 그 속에는 위험한 오류가 숨어 있다. 모든 영혼의 무한한 가치는 기독교 교리가 아니다. 하나님이 인간을 위해 죽으신 것은 인간에게서 무슨 가치를 보셨기 때문이 아니다. 하나님과의 관계를 떠나 개개 영혼 자체만 보면 가치는 전혀 없다. 사도 바울이 썼듯이 가치 있는 사람을 위한 죽음은 신성한 것이 아니라 그저 용감할 뿐이다.

그런데 하나님은 죄인을 위해 죽으셨다. 그분이 우리를 사랑하심은 우리가 사랑받을 만해서가 아니라 그분이 사랑이시기 때문이다. 그분의 사랑이 모든 사람에게 평등할 수는 있으나(죽기까지 모두를 사랑하셨음은 분명하다) 그 표현의 확실한 의미를 나는 모른다. 평등이 존재한다면 평등한 것은 그분의 사랑이지 우리가 아니다.

평등은 양적 개념이므로 대개 사랑과는 전혀 무관하다. 겸손하게 권위를 사용하고 기쁘게 순종을 받아들이는 것이야말로 우리 영혼이 살아가야 할 길이다. 하다못해 감정 생활에서도 우리는 "너나 나나 똑같다"라고 말하는 세상을 박차고 나온다. 그러니 그리스도의 몸 안에서는 더 말할 것도 없다. 거기서는 행군이 춤으로 바뀌고 옷이 벗겨져 나간다. G. K. 체스터턴의 말처럼 우리는 복종할수록 더 성장하고 가르칠수록 더 낮아진다.

다행히 내가 속한 교회의 예배 시간에는 성직자는 서 있고 나는 무릎을 꿇는 순간이 있다. 바깥세상에 민주주의가 더 공고해지면서 공경심을 품을 기회는 자꾸 사라져 간다. 이럴 때일수록 불평등으로 돌아가 활력과 정화와 소생을 얻는 것이 더욱 요긴한데, 그게 가능한 곳이 바로 교회다.

이렇듯 그리스도인의 삶은 집단에게서 개인의 개성을 보호한다. 그를 고립시켜서가 아니라 신비한 몸에서 지체의 지위를 부여함으로써 말이다. 요한계시록에 보면 그는 "하나님 성전에 기둥"이 된다고 했고, 또 "결코 다시 나가지 아니하리라"라고 덧붙였다(계 3:12). 여기서 이 주제는 새로운 국면을 맞이한다. 가장 낮은 그리스도인이라도 교회에서 차지하는 구조적 지위는 영원하며 심지어 우주적이다. 교회의 수명이 우주보다 길기에 교회 안에 있는 개인의 수명도 우주보다 길다. 불멸의 머리이신 그리스도께 붙어 있으면 무엇이든 그분처럼 불멸의 존재가 된다.

그런데 오늘날 기독교 강단에서는 이런 말을 듣기가 힘들다. 이 같은 우리의 침묵이 어떤 결과를 낳았는지를 보여주는 사례가 있다. 근래에 내가 군대에서 이 주제로 강연하는데, 청중 가운데 한 사람이 이 교리를 "신지학"神智學으로 치부했다. 그리스도인 한 사람 한 사람의 불멸성을 믿지 않거든 솔직히 그렇다고 말하고 기독교 신앙일랑 박물관으로 보내자. 그러나 믿는다면 제발 아무런 차이도 없는 척일랑 그만하자. 이것이야말로 집단주의의 모든 과도한 주장에 걸맞는 진정한 답이기 때문이다.

우리는 영원히 사는 불멸의 존재다. 때가 되어 모든 문화와 제도와 국가와 인류와 생명체가 소멸되어도 우리 각자는 여전히 산다. 불멸하리라는 약속은 그런 막연한 대상에게가 아니라 우리에게 주어졌고, 그리스도는 사회나 국가를 위해서가 아니라 인간을 위해 죽으셨다. 그런 의미에서 세속 집단주의자에게는 기독교가 거의 광적으로 개성을 주장하는 것처럼 보일 수밖에 없다.

그러나 우리는 죽음을 이기신 그리스도의 승리에 개인 자격으로 참여하는 것이 아니라 승리자이신 그분 안에 있음으로써 참여한다. 영생에 이르려면 옛 자아를 부인해야 한다. 성경의 극단적 표현대로 옛 자아를 십자가에 못 박아야 한다. 무엇이든 죽지 않고는 부활할 수도 없다.

이렇게 기독교는 개인주의와 집단주의의 이분법을 초월한다. 이런 면에서 우리 신앙이 기독교 신앙 바깥에 있는 사람들에게는 짜증스러울 만큼 애매해 보일 수밖에 없다.

기독교는 본능적 개인주의를 철저히 배격하지만, 반면 개인주의를 버리는 이들에게는 육신까지 포함해서 자신의 개성에 대한 영원한 소유권을 돌려준다. 우리 각자를 생존과 팽창의 의지를 지닌 독립적인 생물체로만 본다면, 우리는 십자가에 달려 마땅한 쓸모없는 존재다. 그러나 그리스도의 몸의 지체이자 하나님 성전의 돌과 기둥이 되면, 저마다의 정체성을 영원히 보장받는다. 그렇게 길이 살면서 우리는 은하계를 옛날이야기로 추억할 것이다.

이렇게도 표현할 수 있다. 개성은 영원하고 감히 침범할 수 없는데 안타깝게도 우리가 시작하는 기준점은 개성이 아니다. 우리 모두의 출발점은 개성의 유사품이나 그림자에 불과한 개인주의다. 참된 개성은 앞날의 일이며, 우리 대부분에게 얼마나 먼 앞날일지는 내가 감히 왈가왈부할 수 없다.

개성을 찾는 열쇠는 우리에게 있지 않다. 그 열쇠는 안에서 밖으로 개발해서는 얻을 수 없다. 장차 우리가 영원한 우주의 짜임 안에서 제자리를 차지하면 그때 개성도 회복된다. 우리는 그 자리에 있도록 창조되고 설계되었다. 하나의 색은 탁월한 화가가 미리 위치를 정해 다른 특정한 색깔 사이에 배치할 때 비로소 그 본색의 가치를 발하고, 양념은 다른 재료 속에 섞이되 그 시점과 부위가 훌륭한 요리사의 뜻에 딱 맞아야 참맛을 낸다. 마찬가지로 우리도 고난을 이기고 제자리에 꼭 맞아들 때 비로소 진정한 인간이 된다. 우리는 조탁되기를 기다리는 대리석이요, 거푸집 속에 부어지려고 대기 중인 금속이다.

물론 우리 안에는 각자가 어떤 거푸집에 맞게 지어졌으며 어떤 기둥이 될 것인지에 대한 징후가 희미하게나마 이미 존재하며, 이는 거듭나지 않은 사람의 경우도 마찬가지다. 그러나 평소에 영혼의 구원을 행여 씨앗이 꽃으로 자라가는 과정처럼 묘사한다면, 내 생각에 이는 심한 과장이다. **회개**와 **거듭남**과 **새사람**이라는 단어 각각이 암시하는 의미는 사뭇 다르다. 우리 안에 있는 자연인으로서의 어떤 성향은 무조건 내버려야 한다. 우리 주님은 눈을 빼어 내고 손을 찍어 내라는 표현을 쓰셨다. 그야말로 프로크루스테스(사람을 침대 크기에 맞추어 절단하거나 늘여서 죽였다는 그리스 신화 속의 노상강도-옮긴이) 방식의 적응이다.

우리가 여기에 주춤하는 이유는 이 시대가 출발부터 완전히 전도되어 있기 때문이다. 즉 우리는 모든 개인의 "무한한 가치"라는 신조에서부터 시작한다. 그러면 하나님은 일종의 직업소개소로 변해, 네모 말뚝에 맞는 네모 구멍을 찾듯이 각 영혼에 맞는 일자리를 찾아 주시는 것이 그분의 주업이 된다.

그러나 실제로 개인의 가치는 개인 스스로에게 있지 않다. 인간은 가치를 받을 수 있을 뿐이며, 그것을 받으려면 그리스도와 연합해야 한다. 개인의 내재적 가치와 타고난 체질을 기준으로 해서 하나님의 살아 있는 성전에서 거기 맞는 자리를 찾아 준다는 개념은 어불성설이다. 자리가 먼저 있었고, 인간은 거기에 맞게 창조되었다. 그래서 그 자리에 놓이기 전까지는 자기다워질 수 없다. 천국에서만 우리는 참되고 영원하고 정말 신성한 인간이 된다. 지금도 빛을 받아야만 몸의 색조가 드러나는 것과 마찬가지다.

지금 나는 이곳의 모두가 이미 인정하는 내용을 되풀이해 말하는 것뿐이다. 즉 우리는 은혜로 구원받고, 각자의 육신에 선한 것이 거하지 않으며, 창조주가 아니라 속속들이 피조물이다. 파생된 존재로서, 내 힘으로가 아니라 그리스도로 말미암아 살아간다.

단순한 문제가 나 때문에 복잡해 보였다면 용서하기 바란다. 두 가지 요점을 꼭 밝히고 싶어서 그랬다.

우선 인간 개인을 그 자체로 숭배하는 지독한 반기독교적 개념을 끄집어 내버리고 싶었다. 이런 현상은 집단주의와 나란히 짝을 이루어 현대 사조에 아주 만연해 있는데, 한쪽의 오류가 반대쪽 오류를 낳으면서 중화는커녕 서로를 더 악화시키기 때문이다. (문학 비평에서 볼 수 있는) 유해한 개념은, 처음부터 우리 각자의 내면에 "개성"이라는 보화가 숨겨져 있으며, 그 개성을 방해받지 않게 지키고 확장하고 표현하여 "독창적" 존재가 되는 것이 인생의 주목표라고 가르친다. 이는 펠라기우스주의(인간의 원죄를 부인하고 자기 힘과 노력으로 구원받을 수 있다고 주장하는 이단 사상-옮긴이)나 그보다 더 심한 오류이며 심지어 자가당착이다.

독창성을 떠받들어서는 아무도 독창적 존재가 되지 못한다. 그러나 있는 그대로 진실을 말하고, 작은 일에도 그 자체를 위해 최선을 다해 보라. 그러면 소위 독창성이 저절로 찾아온다. 그 정도만이라도 개인보다 본분을 앞세우면 벌써 참된 개성이 태어나기 시작한다.

둘째로, 기독교의 관건이 결국 개인도 아니고 공동체도 아님을 밝히고 싶었다. 세간의 통념 그대로의 개인과 공동체는 영생을 상속받지 못한다. 영생은 자연적 자아나 집단적 대중이 아니라 새로운 피조물에게 돌아갈 몫이다.

《영광의 무게 *The Weight of Glory*》, "멤버십"

삶의 현장에서 '신자다운 선택'을 고민하는가?

편집자 일러두기

이번 장은 1944년 4월 18일 루이스가 미들섹스 주 헤이즈의 EMI(Electric and Musical Industries, Ltd.) 음반사 본사에서 가진 질의응답 시간에 답한 내용이다. 그때 작성된 속기록을 타자 원고로 바꾸어 루이스에게 전했고, 이를 그가 약간 다듬어 그해에 출간했다. 해당 모임 사회는 H. W. 보웬이 맡았다.

루이스 // 부탁받은 대로 우선 기독교와 현대 산업에 대해 한 말씀 드리겠습니다. 저는 현대 산업에 문외한인데, 어쩌면 그것이 기독교가 하는 일과 하지 않는 일을 분명히 보여 주는 좋은 예가 될 수도 있겠습니다.

제 생각에 기독교는 기술을 대체하지 **않습니다**. 배고픈 사람에게 먹을 것을 주라고 가르치는 기독교가 요리 강습을 해 주지는 않지요. **그것을** 배우려면 그리스도인 말고 요리사를 찾아가야 합니다. 전문 경제학자도 아니고 사업 경험도 없는 사람이 단지 그리스도인이라는 이유만으로 당면한 산업 문제를 해결할 수는 없습니다.

제 소견으로 현대 산업은 전혀 가망이 없는 제도입니다. 임금과 시간과 조건 같은 것들은 개선할 수 있지만, 가장 근본적인 문제는 고쳐지지 않습니다. 즉 수많은 사람이 자신의 잠재력을 십분 발휘하지 못한 채 평생 단조로운 반복 작업에 묶여 있습니다. 이 문제를 어떻게 극복해야 할지 저는 모릅니다. 만일 어떤 나라가 이 제도를 버린다면 이 제도를 버리지 않는 다른 나라들의 먹이가 될 뿐입니다. 저는 해법을 모릅니다. 기독교가 저 같은 사람에게 가르쳐 주는 내용은 그런 것이 아닙니다. 다음 질문 받겠습니다.

Q 1 그리스도인은 이웃을 사랑하라고 배웁니다. 그렇다면 전쟁을 지지하는 입장은 어떻게 정당화될 수 있을까요?

루이스 // "네 이웃을 네 자신같이 사랑하라" 하셨지요. 우리는 자신을 어떻게 사랑합니까? 제 속을 들여다보니 자신을 사랑한다는 것이 스스로 사랑스럽게 여기거나 애틋한 감정을 품는 것은 아니더군요. 제가 저를 사랑하는 이유는 내가 특별히 선해서가 아니라 인품과는 전혀 별개로 그냥 나 자신이기 때문입니다. 어떤 일은 내가 해 놓고도 정말 싫습니다. 그런데도 부단히 나를 사랑하거든요.

다시 말해서 죄는 미워하되 죄인을 사랑하라는 기독교의 명확한 구분을 누구나 자신에게는 태어날 때부터 실천해 왔습니다. 자신의 행실이 싫어도 계속 자신을 사랑하는 겁니다. 심지어 자신이 죽어 마땅하다고 생각될 수도 있습니다. 경찰서에 가서 자수하고 형을 달게 받아야 한다고 말이지요.

사랑은 애틋한 감정이 아니라 힘 닿는 한 상대를 가장 잘되게 하려는 일관된 마음입니다. 그래서 상대를 죽이려는 시도 말고는 다른 무슨 수로도 상대를 제지할 수 없는 최악의 경우라면, 제가 보기에 그리스도인은 그렇게 해야 합니다. 하지만 제가 틀렸을 수도 있습니다. 이건 참 어려운 문제거든요.

Q 2 공장 직공이 "어떻게 하면 하나님을 만날 수 있습니까?"라고 묻는다면 뭐라고 답해 주시겠습니까?

루이스 // 공장 직공이라 해서 어떻게 이 문제가 여느 누구와 다를지 잘 모르겠군요. 평범한 유혹과 자원은 다 만인 공통이라는 점에서 인간은 기본적으로 같습니다. 공장 직공만이 처한 특수한 상황이 무엇일까요? 다만 도움이 될까 하여 말씀드립니다.

기독교가 지금 여기 이 세상이 처한 상황에 대해 실제로 하는 일은 두 가지입니다.

첫째, 상황을 최대한 개선하려 합니다. 개혁이지요.

둘째, 그래도 상황이 여전히 나쁠 때에 한해 기독교는 우리에게 거기에 맞설 힘을 길러 줍니다.

혹시 질문자께서 반복 작업의 문제를 염두에 두고 하신

질문이라면, 공장 직공의 고충도 다른 누구에게 닥친 슬픔이나 고충과 다를 바 없습니다. 하나님을 만나려면 모든 열악한 조건에 대처하는 올바른 자세를 그분께 의지적으로 구해야 합니다. …… 그게 질문의 요지라면 말입니다.

Q 3 실천하는 그리스도인을 어떻게 정의하시는지요? 거기에는 다양한 부류가 존재합니까?

루이스// 당연히 아주 다양한 부류가 있습니다. 물론 "실천하는 그리스도인"이 무슨 뜻이냐에 따라 달라지겠지요. 삶의 모든 면에서 매 순간 기독교를 실천해 왔다는 뜻이라면, 그런 사람은 분명히 그리스도 한 분뿐입니다. 그런 의미에서라면 실천하는 그리스도인은 존재하지 않아요. 실천하려 애쓰다가 실패해 다시 시작하는 그리스도인만 존재할 뿐입니다. 정도의 차이가 있을 뿐이지요. 기독교 신앙을 온전히 실천하려면 당연히 그리스도의 삶을 온전히 본받아야 합니다. 각자의 특수한 상황에 적용되는 만큼까지는 말이지요.

모든 그리스도인이 수염을 기른다든지 독신으로 산다든지 순회 설교자가 되어야 한다는 식의 무모한 의미로는 아니고, 좋든 궂든 단 하나의 행위와 감정과 경험까지도 모두 하나님께 가져가야 한다는 뜻입니다. 모든 일이 그분에게서 온다고 받아들이고 늘 그분을 바라보면서 먼저 그분의 뜻을 구하는 것입니다. "그분은 내가 이 일에 어떻게 대처하기를 원하실까?"라고 묻는 자세로 말입니다.

온전한 그리스도인과 하나님의 관계를 (아주 어렴풋이나마) 보여 주는 비유 내지 예화로 충실한 개와 주인의 관계를 들 수 있습니다. 물론 매우 부실한 비유입니다. 주인과 달리 개는 이성이 없으니까요. 반면 우리에게는 부족하고 단속적이나마 실제로 하나님의 이성이 주어져 있습니다("단속적"이라 함은 우리의 이성적 사고가 한번에 오래 지속되지 못하기 때문입니다. 너무 지치는 일이지요. 또한 우리는 사안을 충분히 이해할 만한 정보도 없고, 우리의 지성 자체도 여러모로 유한합니다). 그런 면에서 개와 인간보다는 우리와 하나님 사이에 유사점이 더 많습니다. 물론 그 반대인 면도 있지만요. 그래서 이것은 예화일 뿐입니다.

기독교 신앙을 온전히 실천하려면 당연히
그리스도의 삶을 온전히 본받아야 합니다.
좋든 궂든 단 하나의 행위와 감정과 경험까지도
모두 하나님께 가져가야 한다는 뜻입니다.
모든 일이 그분에게서 온다고 받아들이고
늘 그분을 바라보면서
먼저 그분의 뜻을 구하는 것입니다.
"그분은 내가 이 일에 어떻게 대처하기를 원하실까?"
라고 묻는 자세로 말입니다.

Q 4 자신이 억울한 운명의 피해자가 되었다는 생각에 원망하거나 불만을 느끼는 사람이 많습니다. 사별, 질병, 혼란한 가정 상황, 열악한 근로 환경, 다른 사람이 고통을 당하는 모습 등이 그런 감정을 부추기는데요. 이런 문제를 기독교적 관점에서 어떻게 설명할 수 있습니까?

루이스 // 기독교적 관점은 인간이 하나님과 바른 관계를 맺도록 지어졌다는 것입니다(그 관계가 바르면 사람과의 관계도 바르게 될 수밖에 없지요). 그리스도께서 "부자"는 천국에 들어가기 어렵다고 하셨습니다(마 19:23; 막 10:23; 눅 18:24). 분명히 "재물"을 두고 하신 말씀이지만 저는 행운, 건강, 인기, 갖고 싶은 모든 것 등 넓은 의미의 부도 다 이에 해당한다고 봅니다.

돈과 마찬가지로 그런 것이 있으면 으레 하나님이 필요 없어 보입니다. 그 상태로 이미 행복해서 현세에 만족하니까요. 굳이 딴 데로 더 눈을 돌릴 마음이 없고, 그래서 마치 덧없는 행복이 영원할 것처럼 거기에 안주하려 합니다.

그러나 하나님은 우리에게 진정하고 영원한 행복을 주려 하십니다. 그래서 그런 "부"를 우리에게서 부득이 다 거두어 가실 수도 있습니다. 그렇지 않으면 우리가 계속 거기에 의존할 테니까요. 잔인해 보이지요? 하지만 제가 조금 깨닫고 보니 흔히들 말하는 잔인한 교리일수록 결국은 가장 자비로운 교리더군요. 전에는 저도 고생과 슬픔이 "벌"이라는 말을 "잔인한" 교리라 생각했습니다. 그런데 실제로 알고 보니 "벌"로 여기는 순간부터 오히려 고생을 감당하기가 더 쉬워집니다. 이 세상을 우리의 행복을 위해 존재하는 곳으로만 생각하면 무척 견디기 힘들겠지만, 훈련과 교정의 장으로 생각하면 별로 열악하지 않습니다.

한 무리의 사람들이 모두 같은 건물에 산다고 합시다. 그중 절반은 그곳을 호텔로 생각하고 절반은 감옥으로 생각합니다. 호텔로 생각하는 이들은 무척 견디기 힘들겠지만, 감옥으로 생각하는 이들에게는 그곳이 의외로 편하게 느껴질 수 있습니다. 요약하자면, 야속해 보이는 교리가 결국은 우리에게 위로와 힘을 가져다줍니다. 세상을 낙관적으로 보려 할수록 비관론자가 되고, 세상을 아주 냉정하게 볼수록 낙관론자가 됩니다.

Q 5 유물론자와 일부 천문학자들은 지금의 태양계와 생명체가 별이 우연히 충돌하면서 생겨났다고 주장합니다. 기독교에서는 이 이론을 어떻게 봅니까?

루이스 // 태양계가 우연한 충돌로 빚어진 산물이라면 지구에 출현한 유기체도 우연이고 인간의 진화도 다 우연입니다. 그렇다면 현재 우리의 모든 사고도 우연에 불과합니다. 즉 원자 운동의 우연한 부산물이지요. 물론 유물론자와 천문학자의 사고도 예외일 수 없습니다. **그들의 생각** 즉 유물론과 천문학이 우연한 부산물에 불과하다면, 그것이 옳다고 믿어야 할 까닭이 무엇입니까?

제가 보기에 하나의 우연으로 다른 모든 우연을 정확히 설명할 수 있어야 한다는 논리는 성립되지 않습니다. 이는 마치 우유가 엎질러져 우연히 퍼져 나간 모양만 보고 우유병이 어떻게 만들어졌고 왜 엎질러졌는지를 정확히 설명해야 한다는 논리와도 같아요.

Q 6 기쁨을 잃은 암울한 사회상은 대다수 사람에게 골칫거리인데, 정말 기독교가, 특히 개신교가 사회를 그렇게 만드는 경향이 있습니까?

루이스// 개신교와 기독교의 나머지 종파의 구분에 대해서는 답하기가 매우 어렵습니다. 16세기 기록들을 읽어 보면, 제가 무척 존경하는 토머스 모어 경 같은 사람들이 늘 마르틴 루터의 교리를 비관적 사고가 아니라 희망적 사고로 보았습니다. 이런 점에서 개신교만 따로 구분하는 것이 가능할지 의문입니다. 개신교가 비관적인지 여부와 기독교 전반이 암울함을 유발하는지 여부도 저로서는 답하기가 매우 어렵습니다. 완전히 비기독교적인 사회나 완전히 기독교적인 사회에 제가 살아 본 적이 전혀 없기 때문입니다.

저는 16세기를 살아 보지 않았고 그저 독서를 통해서만 그 시절을 알 뿐입니다. 제 생각에 재미와 암울함은 어느 시대에나 똑같이 존재합니다. 모든 시대의 시와 소설과 편지 등을 보면 알 수 있지요. 어쨌든 거듭 말씀드리지만 당연히 저는 답을 모릅니다. 현장에 없었으니까요.

Q 7 "천국"에 갈 자격을 갖추려면 그리스도인은 정말 자신을 희생하는 불편한 삶을 각오해야 합니까?

루이스 // 그리스도인이냐 아니냐를 떠나 인간은 누구나 불편한 삶을 각오해야 합니다. 안락한 삶을 살 요량으로 기독교를 받아들여서는 안 되며, 그리스도인은 하나님의 뜻을 받들어 그분이 원하시는 대로 행하려는 사람입니다. 하나님이 내게 맡기실 일이 힘들거나 괴로울지, 아니면 내 마음에 꼭 들지는 우리가 미리 알 수 없습니다. 용감한 성향의 사람 가운데 더러는 자신에게 맡겨진 일이 너무 편하면 오히려 실망합니다. 어쨌든 우리는 불쾌하고 불편한 일도 각오해야 합니다.

금식 같은 것을 두고 하는 말은 아닙니다. 그건 다른 문제예요. 군인은 기동 훈련을 할 때도 실전처럼 공포탄을 쏩니다. 진짜 적을 상대하기 위한 사전 연습이지요. 마찬가지로 우리도 쾌락 자체가 악하지는 않지만 절제하는 연습이 필요합니다. 쾌락을 절제할 줄 모르면 막상 고비가 닥쳤을 때 힘을 쓰지 못합니다. 이는 순전히 훈련의 문제입니다.

발언자 // 금식과 금욕 같은 훈련은 고대 종교나 원시 종교에서 차용한 것 아닙니까?

루이스// 고대 종교들에서 어느 부분이 기독교로 유입되었는지는 확실히 말할 수 없습니다. 방대한 양이 들어왔으니까요. 그렇지 않다면 저도 기독교를 믿기 어려울 겁니다. 999개 종교는 완전히 틀렸고 나머지 하나만 진리라고는 믿을 수 없으니까요. 실제로 기독교는 주로 유대교가 성취된 것이며, 또한 모든 종교에 막연히 암시된 '그 종교들이 최고 상태일 때 이루어질 내용'의 성취이기도 합니다. 모든 종교에서 어렴풋이 보이던 부분이 기독교에 와서 초점이 잡힙니다. 하나님이 친히 인간이 되셔서 눈에 똑똑히 보이게 된 것처럼 말입니다.

하지만 질문자께서 말씀하신 고대 종교는 현대 야만인의 모습에 기초하지 않았나 싶군요. 하지만 제 생각에 그것은 좋은 근거가 못 됩니다. 현대 야만인은 대개 쇠퇴해 결딴이 난 문화들의 산물입니다. 그들의 행동을 보면 한때 상당히 문명화되었다가 근본을 망각한 모습입니다. 원시인도 현대 야만인과 똑같았을 거라는 생각은 억측이에요.

발언자// 하나님이 주신 일인지 아니면 다른 데서 난 일인지 어떻게 알 수 있을까요? 좀 더 자세히 말씀해 주시겠습니까? 유쾌한 일과 불쾌한 일로 구분할 수 없다면 이게 복잡한 문제라서요.

루이스 // 우리의 길잡이는 도덕적 행동에 대한 일반 법칙입니다. 제 생각에 그런 법칙은 웬만큼 인류 보편이고 꽤 합리적이며 상황에 요구되는 대로입니다. 막연히 앉아서 초자연적 계시를 기다려야 한다는 의미가 아닙니다.

발언자 // 연습도 행위인데 천국에 갈 자격은 행위에서 나지 않습니다. 구원은 십자가에서 납니다. 구원을 얻기 위해 우리가 할 일은 그리스도를 따르는 것밖에 없어요. 고통이나 환난을 겪을 수 있으나 천국에 갈 자격은 그런 행위가 아닌 그리스도에게서 납니다.

루이스 // 믿음과 행위에 관한 논쟁은 역사가 길며 매우 기술적인 문제입니다. 제 경우는 이 역설적 성경 본문에 의지합니다. "너희 구원을 이루라 너희 안에서 행하시는 이는 하나님이시니"(빌 2:12-13). 한편으로는 우리가 하는 일이 없는 것 같지만 달리 보면 엄청나게 많습니다. "두렵고 떨림으로 너희 구원을 이루라"(빌 2:12). 그런데 구원을 이룰 수 있으려면 먼저 하나님께 구원받은 상태라야 합니다.

더 깊이 들어가지는 않겠습니다. 그 이상은 그리스도

인 참석자에게만 관심을 불러일으킬 문제라고 생각이 들어서요.

Q 8 기독교의 기준을 적용하면 과학과 물질문명의 발전은 멈추거나 크게 위축될까요? 다시 말해서 그리스도인이 야망을 품고 개인적 성공을 위해 노력하는 것은 잘못입니까?

루이스// 가장 쉽게 생각할 수 있는 간단한 예가 있습니다. 무인도에 떨어진 사람에게 기독교를 적용하면 어떻게 달라질까요? 편안한 오두막을 지을 소지가 줄어들까요? 천만의 말입니다. 물론 특정한 순간이 오면, 즉 오두막을 우주에서 가장 중요한 일로 생각하는 위험에 빠지게 된다거나 하면, 기독교 신앙 때문에 오두막에 신경을 덜 쓰게는 되겠지요. 하지만 기독교 때문에 오두막을 짓지 못하리라는 증거는 없습니다.

야망에 대해서라면 그 말을 무슨 뜻으로 쓰는지 주의해야 합니다. 남보다 앞서려는 욕심을 뜻한다면(제가 보기에는 그렇습니다만) 잘못입니다. 하지만 그냥 어떤 일을 잘하려는 의미라면 선합니다. 배우가 자신이 맡은 배역을 최대한 잘 연기하려는 것은 잘못이 아니지만, 다른 배우들보다 더 명성을 얻으려는 마음은 잘못입니다.

발언자 // 장군이 되는 거야 괜찮지만 장군이 되는 것이 야망이라면 되지 말아야 한다는 말씀인지요?

루이스 // 장군이 되는 사건 자체는 옳지도 그르지도 않습니다. 도덕적으로 중요한 것은 어떤 태도로 임하느냐이지요. 어떤 사람이 전쟁에서 이길 전략을 짜다가 장군이 되고 싶을 수 있습니다. 정말 자신에게 좋은 작전이 있어 이를 수행할 기회가 있었으면 좋겠다 싶어서 말이지요. 거기까지는 괜찮습니다. 그러나 "이 감투로 무엇을 얻어 낼까?"라든지 "어떻게 내가 신문 일면을 장식할까?"를 생각한다면 다 틀렸습니다.

소위 "야망"이란 대개 남보다 더 돋보이거나 더 성공하려는 바람입니다. 잘못된 부분은 바로 이 경쟁적 요소입니다. 춤을 잘 추거나 멋있어 보이려는 바람은 지극히 합리적입니다. 그러나 남보다 더 잘 추거나 남보다 나아 보이려는 마음에 지배당한다면(남이 나만큼 잘 추거나 멋있어 보일 경우 재미가 싹 달아난다고 느껴진다면) 그때부터는 잘못입니다.

발언자 // 우리가 품는 매우 타당한 갈망을 얼마나 마귀의 역사 탓으로 돌릴 수 있을지 궁금합니다. 마귀의 존재를 아주 민감하게 의식하는 사람도 있고 그렇지 않은 사람도 있는데, 마귀는 우리가 생각하는 것처럼 실제로 존재합니까? 선해질 마음이 없는 이들이야 이런 고민이 없겠지만, 마귀 때문에 늘 괴로운 사람들도 있습니다.

루이스 // 기독교에 마귀나 귀신을 언급한 신경信經은 없으며, 그들의 존재를 확인하지 않고도 얼마든지 그리스도인이 될 수 있습니다. 저야 그런 존재를 믿지만 그건 제 경우지요. 그들이 존재할 경우 인간이 그 존재를 의식하는 정도는 아마 천차만별일 것입니다. 마귀의 손아귀에 잡혀 있는 사람일수록 마귀에 대한 의식은 줄어들겠지요. 자신이 술 취한 줄을 아는 한 아직은 꽤 제정신인 것과 같은 이치입니다.

마귀를 가장 민감하게 의식하는 사람은 바로 온전히 깨어 있어 힘써 선을 추구하는 이들입니다. 자국에 나치 요원이 널려 있음을 처음 깨닫는 순간은 바로 히틀러에 대항하여 무장할 때입니다. 물론 귀신들은 우리가 마귀를 믿지 않기를 바라지요. 귀신이 존재한다면 그들의 일차 목표는 우리를 둔해지게 해서 방심에 빠뜨리는 것입니다. 그 계획이 실패로 돌아가야만 그제야 우리는 귀신을 의식합니다.

발언자 // 기독교는 과학 발전에 방해가 됩니까? 아니면 파멸로 치닫는 사람을 영적으로 돕되, 문제의 환경적 요인을 과학적으로 제거하는 이들도 기독교에서 인정해 줍니까?

루이스 // 맞습니다. 원칙적으로 당연히 그렇습니다. 때에 따라 대다수 사람들이 환경을 물리적으로 개선하는 일에만 집중한다면, 그것만이 중요한 것이 아님을 (아주 큰소리로) 지적하는 일이 그리스도인의 의무일 수는 있습니다. 그러나 일반적으로 기독교는 모든 지식에 우호적이며, 어떤 식으로든 인류에게 도움이 되는 것이라면 무엇이든 지지합니다.

Q 9 성경은 수천 년 전에 기록되었고 그 대상은 지금보다 지적인 발달 상태가 낮은 사람들이었습니다. 현대의 지식에 비추어 볼 때 터무니없어 보이는 부분도 많고요. 그렇다면 신화적 요소는 버리고 나머지는 재해석하는 방향으로 성경을 고쳐 써야 하지 않을까요?

루이스 // 우선 지적인 발달 상태가 낮았다는 말이 무슨 뜻인지 잘 모르겠군요. 지금 우리가 아는 많은 좋은 것을 1만 년 전 사람들은 몰랐다는 의미라면 물론 저도 동의합니다. 하지만 그 사이에 조금이라도 인류의 **지능**이 더 나아졌다는 의미라면 제가 알기로 그런 증거는 없습니다.

성경은 구약과 신약 두 부분으로 나눌 수 있습니다. 구약에는 신화적 요소가 들어 있지만, 신약은 주로 내러티브가 아니라 가르침입니다. 또 내러티브인 부분도 제가 보기에 **역사적 사실**입니다. 구약의 신화적 요소를 삭제하는 것이 현명한 일일지 저로서는 심히 의문입니다. **점차 초점이 또렷해지는** 과정이거든요.

우선 신이 죽임을 당해 꺾였다가 다시 살아난다는 개념이 전 세계 이교들에 두루 산재해 있었습니다. 하지만 아직은 아주 막연하고 신화적이었지요. 신이 어디에 살다가 죽어야 했는지는 아무도 몰랐습니다. 역사적 사실이 아니었으니까요.

그러다 구약에 이르면 여러 종교적 개념에 좀 더 초점이 잡힙니다. 이제 모든 것이 특정 민족과 연계되면서 초점은 갈수록 더욱 선명해집니다. 요나와 큰 물고기(욘), 노아와 방주(창 6-8장) 등은 신화적 요소지만 다윗 왕조의 역사는(삼하 2장-왕상 2장) 필시 루이 14세 왕조의 역사만큼이나 확실할 것입니다.

마침내 신약에서는 **실제로 일이 벌어집니다.** 하나님이 정말 오셔서 죽으십니다. 구체적인 시간과 공간 속을 살아가는 역사적 인물로서 말입니다. 구약의 신화적 요소를 전부 가려내서 역사적 요소와 분리한다면, 전체 과정의 요긴한 부분을 잃을 수 있습니다. 제 생각은 그렇습니다.

Q 10 세상 모든 종교 가운데 그 종교를 따르는 신봉자에게 가장 큰 행복을 주는 종교는 무엇입니까?

루이스 // 세상의 모든 종교 중에서 그 종교를 따르는 신봉자에게 가장 큰 행복을 주는 종교가 무엇이냐고요? 행복이 무너지기 전까지는, 자기를 숭배하는 종교가 최고입니다.

제가 아는 한 노인은 여든 살쯤 되었는데, 어려서부터 일평생을 이기심과 자화자찬으로 일관해 왔습니다. 그런데 유감스럽게도 얼추 가장 행복한 사람 축에 듭니다. 하지만 도덕적 관점에서 보면 과연 그럴까요?

저는 그런 각도에서 이 문제에 접근하고 있지 않습니다. 아마 아시겠지만 저는 원래 그리스도인이 아니었고, 행복해지려고 종교에 귀의한 것도 아닙니다. 행복이라면 포도주 한 병으로도 가능함을 늘 알았지요. 정말 편해지려고 종교를 원하는 사람이 있다면 저는 결코 기독교를 권하지 않습니다. 단언컨대 그 용도라면 훨씬 나은 미국산 특허 제품이 반드시 시장에 나와 있을 겁니다. 그건 저로서는 아무런 조언도 드리지 못하는 부분이지만요.

Q 11 하나님께 헌신한 사람에게 겉으로 명백하게 나타나는 징후가 있습니까? 그런 사람도 성미가 고약하거나 흡연을 하거나 할 수 있을까요?

루이스 // 시중에서 최고라며 자랑하는 "새하얀 미소" 치약 광고가 생각납니다. 그 말이 사실이라면 이런 결과가 따를 것입니다. 첫째, 지금부터 이 제품을 사용하면 치아 상태가 더 좋아집니다. 둘째, 이 제품을 사용하지 않았을 때보다 더 좋아집니다. 그러나 원래 치아 상태가 안 좋았는데 이 제품을 사용하는 사람과 치약이라곤 써 본 적이 없는 건강한 원시인을 비교하는 실험은 불가능합니다.

까탈스러운 노처녀와 인기 좋은 호감형 남자가 있다고 합시다. 전자는 그리스도인인데 성미가 고약한 반면 후자는 교회에 가 본 적도 없지만 매우 친절합니다. 이 여성이 **그리스도인이 아니라면** 얼마나 더 성미가 고약했을지 누가 알겠으며, 이 친절한 남성이 **그리스도인이라면** 얼마나 더 호감을 주었을지 누가 알겠습니까? 즉 두 사람의 **결과물만** 단순하게 비교해서 기독교를 판단할 수는 없습니다. 그리스도께서 변화시키시는 중인 두 사람의 원재료가 어떠한지도 알아야 합니다.

이번에는 산업 현장의 예를 들어 봅시다. 두 공장이 있습니다. A 공장은 설비가 빈약하고 부실합니다. B 공장은 설비가 최고급 현대식입니다. 겉만 보고 판단할 수는 없고 설비와 운용 방식도 보아야 합니다. A 공장의 경우 그런 설비로 조업이 된다는 자체가 신기하겠지만, B 공장에는 최신 기계가 있으니 생산성이 더 높지 않다면 오히려 이상할 것입니다.

Q 12 아무리 자선을 위한 좋은 취지라 해도 공장 내에서 판매하는 복권raffles에 대해 어떻게 생각하십니까? 그런 경우 대개 자선은 가려지고 당첨되면 받을 솔깃한 상품 목록만 돋보일 때가 비일비재합니다.

루이스 // 우리 삶에서 도박이 결코 중요한 부분을 차지해서는 안 됩니다. 거액의 돈이 아무런 유익도 끼치지 않은 채(예컨대 고용이나 온정 등을 창출하지 않고) 사람 사이에서 그저 옮겨만 다니는 것은 나쁜 일입니다. 소규모라면 굳이 나

뿔 것까지야 없을지도 모르겠군요. 제가 유혹을 전혀 느끼지 못하는 유일한 악덕이 도박이라서 잘 모릅니다. 잘 알지도 못하면서 자기 취향이 아닌 일을 논하는 것은 위험하지요. 어쨌든 누가 제게 와서 돈 내기로 브리지 게임(카드 게임의 한 종류-편집자)을 하자고 한다면 저는 그냥 이렇게 말합니다. "얼마를 따고 싶습니까? 그 돈을 그냥 드릴 테니 가십시오."

Q 13 기독교를 분열시킨 여러 신학적 차이를 웬만한 사람들은 도무지 이해할 수가 없습니다. 그런 차이가 근본적이라고 보십니까? 지금이 재결합의 기회가 무르익은 때라고 생각지 않으십니까?

루이스 // 재결합의 기회는 언제나 무르익어 있습니다. 그리스도인의 분열은 죄요, 수치입니다. 그리스도인은 기도로라도 늘 재결합에 기여해야 합니다. 저는 평신도인 데다 그리스도인이 된 지 오래되지 않아 이런 문제를 잘 모릅니다만, 그동안 모든 집필과 사고에 늘 전통 교리의 입장을 고수했습니다. 그런데도 평소 전혀 다른 부류로 간주되던 그리스도인들에게서 공감하는 내용을 담은 서신이 옵니다. 예를 들어 예수회, 수사, 수녀, 웨일스 비국교도 등에게서도 편지가 와요.

제가 보기에는, 각 교파의 "극단주의자"일수록 서로 가장 가까운 반면 각 단체의 "개방적"이고 자유주의적인 사람들일수록 통 연합할 줄을 모릅니다. 교리를 수호하며 지키는 기독교계에서는 사뭇 다른 유형의 수많은 사람이 줄곧 똑같이 말하는데, (교리가) 희석된 "개방적 종교" 진영에서는 (모두 같은 유형의) 소수가 전혀 다른 말을 하며 수시로 생각이 바뀝니다. 후자의 경우 재결합은 아주 먼 이야기입니다.

Q 14 **과거에 교회는 사회에 특정 부류의 기독교를 강요하려고 갖은 방법을 동원했습니다. 권력만 충분하다면 그런 일이 또 벌어질 위험이 있지 않습니까?**

루이스 // 그렇습니다. 제게도 스페인에서 좋지 못한 소문이 들려옵니다. 인간은 누구나 박해하려는 유혹을 느낄 수 있습니다. "M. D."라는 서명이 적힌 엽서가 있었는데,

누구든지 동정녀 탄생을 믿는다고 고백하고 공표하면 맨살에 태형을 가한다는 글귀가 적혀 있더군요. 그리스도인을 향한 비그리스도인의 박해가 얼마나 쉽게 재현될 수 있는지를 보여 주는 예입니다. 물론 그들은 이를 박해라 부르지 않고 "이념 부적응자에게 필수적인 재교육"과 같은 식으로 부릅니다.

그런데 꼭 인정해야 할 것은 그리스도인들도 과거에 박해자였다는 사실입니다. 알 만한 **그들이** 그랬으니 더 나빴지요. 박해를 가한 일이야말로 기독교 최악의 흑역사입니다.

저는 종교적 강압이라면 어떤 종류든 다 아주 싫습니다. 요전에만 해도 국토방위군 내에서 의무적으로 예배에 참석하게 했다는 소식에 분개하여 《스펙테이터》(1828년에 창간되어 지금도 발행되는 런던의 시사 주간지-옮긴이)에 투고한 적이 있습니다.

Q 15　그리스도인으로 살아가려면 꼭 교회에 출석해 예배에 참석하거나 기독교 공동체에 일원으로 들어가야 합니까?

루이스 // 답하기가 참 어려운 질문입니다. 제 경험상 14년쯤 전에 처음 그리스도인이 되었을 때는 혼자 할 수 있다고 생각했습니다. 내 방에 틀어 박혀 신학 서적을 읽으면 될 테니까요. 그래서 어느 교회든 가지 않으려 했습니다. 그런데 나중에 알고 보니 기독교 신앙을 따르고 있음을 공개적으로 밝히려면 그 길밖에 없더군요.

물론 남의 눈총도 감수해야 합니다. 일찍 일어나 교회에 가려면 가족에게 끼치는 불편이 어마어마합니다. 다른 일로 일찍 일어나면 별로 상관없는데, 교회에 가려고 일찍 일어나면 아주 이기적인 사람이 되어 가정에 분란을 일으키게 되거든요.

신약의 가르침 가운데 명령의 성격을 띤 것이 있다면 바로 성찬에 참여할 의무인데(요 6:53-54), 이는 교회에 가지 않고는 할 수 없는 일입니다.

나는 그들의 찬송가가 꼭 삼류 음악에다가 그보다는 조금 낫지 싶은 수준의 가사를 붙여 놓은 것 같아 못내 싫었습니다. 그런데 점차 그 찬송가의 진가가 보였습니다. 관점도 판이하고 교육 수준도 다른 다양한 사람과 부대끼면서 점차 내 자만심이 벗겨져 나갔지요. 허름한 고무장화를 신고 건너편 좌석에 앉은 노인 성도가 (삼류 음악에 지나지 않는) 찬송가를 혼신을 다해 부르며 은혜받는 모습을 보면, 나라는 존재는 그 장화를 닦아 줄 자격조차 없다는 생각이 듭니다. 그 찬송가가 나를 혼자만의 자만심에서 벗어나게 합니다.

저는 법칙을 정할 사람이 못 됩니다. 평신도일 뿐인 데다 많이 알지도 못하니까요.

Q 16 하나님을 충분히 원하기만 하면 그분을 만날 수 있다는 것이 사실이라면, 그분을 만날 수 있을 만큼 충분히 원하려면 어떻게 해야 할까요?

루이스 // 이미 원하지 않고서야 이토록 간절히 하나님을 원하고 싶어 할 까닭이 무엇이겠습니까? 저는 실제로 그 소망이 진정이라 믿으며, 그래서 질문하신 분이 정말 하나님을 만났다고 봅니다. 본인에게 아직 충분히 느껴지지 않더라도 말이지요. 어떤 일이 발생할 때 우리는 매번 즉시 인식하지는 못합니다. 어쨌든 더 중요한 것은 하나님이 이 질문을 하신 분을 만나 주셨다는 점이며, 그것이 핵심입니다.

《피고석의 하나님 *God in the Dock*》, "기독교에 관한 질문과 답변"

주

어떻게 자기를 사랑하면서 부인할 수 있는가?

1. *Nicomachean Ethics*, 제9권 8장. 아리스토텔레스, 《니코마코스 윤리학》.
2. *Introduction to the Devout Life*(Lyons, 1609), 제3부 9장 "Of Meekness towards Ourselves."
3. "avec des remonstrances douces et tranquilles."
4. *The Sixteen Revelations of Divine Love*, 49장.
5. *Richard III*, 5막 3장 184행. 윌리엄 셰익스피어, 《리처드 3세》.
6. *Annals*, 제1권 20장 14행. "immitior quia toleraverat." 타키투스, 《타키투스의 연대기》(범우 역간).

집에서도 나는 신자인가?

1. R. A. F.(Royal Air Force)
2. A. T. S.(Auxiliary Territorial Service)
3. James Boswell, *Life of Johnson*, George Birkbeck Hill 편집(Oxford, 1934), 제4권 p. 397(1784년 12월 2일).
4. "abusus non tollit usum."

과학과 지식의 발전이 기독교의 불변성을 위협하는가?

1. 알프레드 노스 화이트헤드(Alfred North Whitehead, 1861-1947). 저서로 *Science and the Modern World*(1925), 《과학과 근대세계》, *Religion in the Making*(1926), 《진화하는 종교》(대한기독교서회 역간) 등이 있다.
2. "Eadem sunt omnia semper."

출전

Christian Reflections, Eerdmans; 전자책, HarperOne. 《기독교적 숙고》(홍성사 역간).

- "신앙이란 이성理性에 맞서 싸우는 것인가?"
  —3장 "종교: 실재인가 대체물인가?"

God in the Dock: Essays on Theology and Ethics, Eerdmans; 전자책, HarperOne. 《피고석의 하나님》(홍성사 역간).

- "품기 힘든 '문제적 그 인간'이 있는가?"
  —1부 18장 "'그 사람'의 문제."
- "어떻게 자기를 사랑하면서 부인할 수 있는가?"
  —2부 2장 "자아를 다루는 두 가지 방법."
- "집에서도 나는 신자인가?"—3부 3장 "설교와 점심 식사."
- "과학과 지식의 발전이 기독교의 불변성을 위협하는가?"
  —1부 3장 "교리와 우주."
- "삶의 현장에서 '신자다운 선택'을 고민하는가?"
  —1부 4장 "기독교에 대한 질문과 답변."

Mere Christianity, HarperOne. 《순전한 기독교》(홍성사 역간).

- "신앙의 긴 여정, 어디까지 왔는가?" —3장 중 "믿음(2)."
- "내 안에 '그리스도의 생명'이 제대로 심겼는가?"
  —2장 중 "실제적인 결론."
- "아직 사랑하지 않는데도 사랑하듯 행동하면 위선인가?"
  —3장 중 "사랑."

Present Concerns: Journalistic Essays, HarperOne. 《현안: 시대논평》(홍성사 역간).

- "'내게 사는 것이 그리스도니'라는 말의 참뜻은?"
  —3장 "세 부류의 인간."

The Weight of Glory, and Other Addresses, HarperOne. 《영광의 무게》(홍성사 역간).

- "신자는 모름지기 '영적' 활동에 24시간을 바쳐야 하는가?"
  —2장 "전시戰時의 학문."
- "줄기찬 일상 속 도발, 용서를 계속 실천하려면?"

—8장 "용서."

- "영광에 이르는 절묘한 길, 어떻게 걸어갈 것인가?"

  —1장 "영광의 무게."

- "교회, 개인주의와 집단주의의 이분법에 빠지지 않으려면?"

  —7장 "멤버십."

The World's Last Night, and Other Essays, HarperOne. 《세상의 마지막 밤》(홍성사 역간).

- "재림의 복음, 나의 오늘을 어떻게 바꾸는가?"

  —7장 "세상의 마지막 밤."